D0269163

LE PETIT CHEVAL

DU MÊME AUTEUR

Don Carlos, Calmann-Lévy, 1994.
Constantinople, Calmann-Lévy, 2003.

THORVALD STEEN

LE PETIT CHEVAL

roman

Traduit du norvégien
par Alain Gnaedig

Ouvrage traduit avec le concours
de Norla

calmann-lévy

Titre original :
DEN LILLE HESTEN

ISBN 2-7021-3629-X

Même à Reykholt, dans le nord-ouest de l'Islande, une île de l'Atlantique nord, la guerre est passée par là. On peut en dire autant de presque tous les coins du monde, et de toutes les époques. Les ruines sont les cicatrices laissées par le passage des hommes. Rêver, aimer et tuer comptent parmi les plus anciennes aptitudes des gens et leur semblent aussi simples que parler. Lorsque l'on fouille les restes du rempart de Reykholt, on ne sent pas seulement la présence du temps, mais aussi l'odeur de l'humanité.

18 septembre 1241

La plupart des gens ignorent le nombre de jours qu'il leur reste à vivre. Il croyait avoir bien des années devant lui. Il n'avait jamais songé à ce qu'il dirait à l'heure fatidique. Il s'habilla, se peigna et but une louche d'eau prise dans le seau à côté du lit. Dehors, il n'y avait personne. Il contempla le ciel, ce vieux parchemin où le soleil et la lune s'inscrivent jour et nuit.

Snorri Sturluson avait encore cinq jours à vivre.

Orækja lui vint à l'esprit aussi soudainement que d'habitude. Même si l'on a élevé ses enfants, on n'a pas besoin de les comprendre. Son seul fils encore vivant n'était qu'un fauteur de troubles. Il aurait préféré penser à Margrete, qu'il devait retrouver le lendemain. Il se représenta ses yeux intenses, ses cheveux, ses gestes vifs, ses doigts longs, son sourire et ses hanches. Il s'imagina d'avance ce qu'il allait ressentir en embrassant ses fines lèvres.

Ce matin, à une journée de cheval de là, il fut décidé que Snorri serait assassiné dans la nuit de la Saint-Maurice. Personne ne le prévint. Certes, il avait des ennemis, mais, en cet instant, il ne se doutait pas que quelqu'un avait l'intention de le frapper à mort, chez lui, dans son domaine. Les conjurés, eux, arrêtaient leur projet en sachant qu'ils avaient le soutien entier du roi Håkon.

Snorri ouvrit la porte et contempla les terres de Reykholt. Il y avait du vent. Le matin remplissait la cour de lumière. Il était pris dans le jour qui tombait sur lui. Sur la pente légère, derrière l'enclume où Torkild forgeait des pointes de flèches, il voyait la remise à outils. Torkild était un homme grand, fort et adroit de ses mains, toujours prêt lorsqu'il s'agissait de réparer ou de construire quelque chose. Snorri voulut lui dire deux mots. Alors qu'il marchait sur le pré durement piétiné, il sentit ses orteils serrés dans les chaussures en veau.

Un peu plus loin, les moutons avançaient dans le champ jauni, en éventail, baignés dans une lumière grisâtre. Ces moutons, songea-t-il, ont les mines contrites des martyrs. Mais pourquoi s'étaient-ils donc tant approchés du domaine ?

Snorri s'approcha de la charrette devant la remise. De l'index droit, il effleura les brancards afin de voir si la rosée avait laissé de l'humidité. Il fit glisser le bout de son doigt une fois, puis une autre, sur le bois. Qu'entendait-il ? Le bruit venait de la remise. Torkild était-il en train de façonner un fer à cheval sur l'enclume ? Snorri se rapprocha. Il ne s'agissait pas de coups de marteau. Mais qu'était-ce donc ? Il regarda vers les plaines au-delà du domaine, vers le ruisseau voisin, puis en direction de la rivière qui prenait sa source dans les montagnes et les glaciers, à l'horizon.

Il y avait toujours quelque chose à remettre en état dans la grande propriété. Snorri avait maintes fois demandé à Torkild de raccourcir sa journée de travail. Torkild lui avait souri, et dit qu'il ne devait pas plaisanter ainsi avec lui. Il continuait à travailler aussi vigoureusement chaque soir, et se couchait le dernier. Au matin, Torkild était toujours le premier levé. Le travail à la forge était important pour son amour-propre. Snorri comprenait cela. Comme Snorri,

Torkild avait une soixantaine d'années, mais ses pas étaient bien plus vifs. Là, Snorri voulait lui souhaiter le bonjour et le remercier pour tout ce qu'il avait fait. Et il lui demanderait s'il désirait quelque chose.

Un peu de gentillesse ne pouvait pas faire de mal. Snorri acquiesça et marmonna intérieurement. La confiance ne régnait pas tout à fait entre lui et Torkild depuis qu'il avait couché avec sa femme, nuit après nuit, trois ans plus tôt. Elle avait fui Reykholt, et nul ne l'avait revue. Mais Torkild s'en était sûrement remis maintenant, n'est-ce pas ? Il s'était quelquefois plaint de gagner trop peu. Snorri lui avait répondu que la pauvreté était une étape sur le chemin qui menait à la félicité dans l'autre monde.

Fidèle à sa modestie, Torkild répondrait certainement qu'il n'avait besoin de rien, et qu'il ne désirait rien. Snorri allait donc déposer une nouvelle pièce d'argent sur le tonneau devant sa porte.

Était-ce à cause du vent qu'il ne parvenait pas à déterminer d'où venait le bruit ? La porte de la remise à outils était fermée à clef. Lorsqu'il fit le tour de la remise, il s'aperçut que c'était la porte de derrière qui battait. Il l'immobilisa, et cria : « Torkild ! »

Personne ne répondit. Quatre clous redressés étaient posés sur l'enclume. Il ouvrit la porte en grand. Les outils étaient soigneusement accrochés aux murs. Marteaux, haches, poinçons, limes et scies étaient alignés selon leur taille. Une tasse en bois était renversée sur le tonneau, à l'intérieur. Snorri entra. La pièce était vide. La porte cogna derrière lui, il se retrouva dans l'obscurité totale.

« Torkild », dit-il d'une voix basse et hésitante. Il écarta la porte d'un coup de pied, sortit à pas lourds et cria. Il n'y eut pas de réponse.

Snorri grimpa lentement la côte. Du regard, il chercha les moutons à l'horizon. Il observa la colline pelée qui s'étendait, sans un arbre, au nord du domaine. Puis ses yeux scrutèrent la bande de terre desséchée, de la couleur du sable, au pied de la colline. La terre était aussi ridée qu'une peau parcheminée après l'été si sec, pleine de crevasses et de mottes dures et pointues comme des pierres qui piquaient sous les semelles. Il cria le nom d'Orækja et jura. Pendant un instant, il songea à la mère d'Orækja. Ils avaient passé ensemble seulement quelques nuits. Lorsqu'il lui avait rendu visite, quelques mois plus tard, elle avait grossi. La dernière fois qu'il avait vu Orækja, chez son neveu Tumi, l'ambiance avait pour une fois été joviale entre le père et le fils. Snorri essuya la sueur de son front, il rentra chez lui, s'assit sur le banc, posa les coudes sur la table, joignit les mains et regarda droit devant lui.

Quel fils n'avait-il pas ! Mais qu'avait-il donc fait de mal ? Le pire, c'est qu'il avait encore besoin de l'aide de ce meurtrier. Orækja adorait son père. Comme si cela rendait la situation plus aisée.

Étaient-ce des chevaux qui passaient là, dehors ? Personne ne devait sortir maintenant ! Snorri se leva en sursaut, bondit vers la porte, la poussa, et aperçut à peine le dos de Torkild, penché sur le dos d'un cheval, le nez dans la crinière, au grand galop. Snorri chercha son souffle un instant. Ses jambes et ses chevilles avaient enflé au cours des six derniers mois, et il ignorait pourquoi. Torkild et Svein, le jeune aide, chevauchaient côte à côte. Snorri les héla. Ils ne se retournèrent pas. Il n'y avait personne pour se lancer à leur poursuite. Ils prenaient la direction de Surtshellir, la longue trouée noire. Son homme de confiance à Reykholt s'enfuyait sans la moindre explication ! Quant à l'aide, un jeune gamin roux et maigre, il avait dû le soudoyer.

« Traîtres ! hurla Snorri. Voleurs ! Crapules ! » Son meilleur forgeron décampait sans un mot.

Snorri cria encore une fois à Torkild avant que les chevaux ne disparaissent. Pourquoi personne ne l'avait-il averti ? Incrédule, il regarda le nuage de poussière laissé par les deux hommes. Snorri retourna vivement à la maison. Il resta sur le seuil. Quelqu'un l'avait-il entendu crier ?

Qu'il n'ait pas de contrôle sur Oraekja, passe encore, mais que ses gens le traitent de cette façon, c'était inacceptable ! Les espoirs et les attentes qu'il plaçait dans la venue de Margrete l'avaient-ils empêché de saisir le sérieux de la situation ? Il jeta un coup d'œil aux autres maisons. Il passa la paume de sa main droite sur son front, sur son visage, sur ses paupières lourdes, sur son nez proéminent, et sur son menton barbu. Devait-il héler Kyrre, qui surveillait les travaux au domaine ? Mais s'il se mettait à inspecter les maisons de Reykholt et à poser des questions, ne penserait-on pas qu'il était inquiet ?

Combien y avait-il de personnes sur le domaine, au total ? C'était Kyrre qui savait le nombre exact. Lui, il ne connaissait pas tout le monde, mais il devait y avoir à peu près soixante-dix âmes. Et combien étaient à son service parmi elles ? Ça, il ne s'en souvenait pas. Il ne se rappelait pas davantage le nom de tous ceux qui travaillaient à Bessastadir, ni dans les autres fermes, d'ailleurs. Comment aurait-il pu avoir l'œil sur tout ?

Le domaine de Reykholt, le cœur du vieux fief ecclésiastique, n'était guère grand, mais le fief était important. C'était pour cela qu'il avait acheté le domaine en 1206. Ni son aspect ni sa configuration n'étaient grandioses, mais sa situation était avantageuse. Des routes vers l'ouest, le sud et le nord passaient non loin. Il n'est pas facile de connaître l'étendue de sa richesse, mais lorsque Snorri contempla les maisons goudronnées entourées par le rempart, ses yeux prirent une expression satisfaite. Il regarda d'abord la porte Nord, puis la porte Sud. Elles étaient toutes deux aussi solides. Les maisons également, et, par-dessus le rempart, il apercevait les moutons et les vaches qui broutaient paisiblement à proximité. Et Snorri ne tenait pas compte de l'avis de son frère, qui appelait Reykholt le château de la solitude.

Tout cela lui appartenait. Depuis la mort d'Hallveig, deux mois plus tôt, c'était à lui, et rien qu'à lui. Cela faisait trente-cinq ans qu'il avait acheté Reykholt à Magnus Palsson. Le bois de construction et l'église en bois debout avaient été importés de Norvège. Rien n'avait changé. De quoi s'inquiétait-il donc ? Évidemment, il aurait été plus imposant que Bessastadir, baigné par la mer, fût le siège du domaine. Mais non, c'était à l'intérieur des terres qu'il se sentait le mieux. Du reste, il y avait plus de vent à Bessastadir. Snorri tourna son regard vers le nuage de vapeur qui montait de la source à quelques centaines de mètres, à l'ouest de la prairie de Deildartunga. Derrière, à l'est, il aperçut les glaciers enneigés. Il avait pris sa décision, il ne quitterait plus la vallée de Reykholt. La vallée, sans caractère particulier, n'était pas belle. La rivière qui y courait, dénuée de méandres et de cascades, n'avait rien de spécial, contrairement à la Hvitá, traîtresse et déchaînée à chaque printemps.

Il régnait un tel silence au domaine. Personne n'était venu lui demander pourquoi le forgeron était parti au galop. Il referma la porte et s'assit à la grande table.

Il contempla les instants qui passaient. Cela valait mieux que d'essayer de les remplir. À contrecœur, il prit sa plume et se prépara à écrire. Pourquoi ? Pour meubler le moment, malgré tout ? Il n'aboutit à rien. Pas un mot ne couvrit le parchemin, juste le dessin incertain d'un œil. Il voulait écrire sur lui-même. Sinon, d'autres le feraient. Mais pouvait-on faire confiance aux autres personnes qui savaient manier la plume en Islande ? Son neveu Sturla Thordarson n'était pas entièrement dénué de talent, certes. La situation était difficile : son verbe était rare et se perdait souvent dans sa barbe châtaine. Toutefois, il savait écrire. Était-ce exact que si l'on perdait le contact avec les mots, la relation aux autres disparaissait aussi, lentement ? Non. Il lui fallait écrire sa propre saga. Elle commencerait ainsi : *Il était un homme qui s'appelait Snorri Sturluson.*

Il avait l'habitude de se reposer sur le bat-flanc. Ses yeux se fermèrent. Il se réveilla après être tombé par terre. Cela ne lui était jamais arrivé. Qu'allait-il donc advenir de lui, si même son corps refusait de lui obéir ? En son for intérieur, il savait que celui-ci ne se soumettrait plus.

La pensée de la venue de Margrete, le lendemain, le fit se lever, un peu plus vite que ce qui lui convenait. Le sang battit dans ses tempes. De la main droite, il s'appuya sur la table. Ah, si seulement c'était déjà le lendemain ! Il avait le vertige. Il s'approcha du lit d'un pas hésitant et s'y allongea sans se déshabiller.

Ce n'était pas seulement parce que Margrete était son amante qu'elle lui manquait. Elle l'avait aussi défié, sur un terrain précis, comme nul avant elle. Elle avait qualifié Snorri d'historien malhonnête. D'après Margrete, Snorri, à l'instar de l'Église, avait trahi ses anciens alliés de Constantinople pendant les Croisades. Margrete avait fait un pèlerinage à Rome où elle avait rencontré maints réfugiés de Byzance. Elle savait de quoi elle parlait. Les premières fois qu'elle avait porté ces accusations, Snorri avait répondu qu'elle ne pouvait donc pas l'aimer. Elle avait rétorqué que, au contraire, elle disait le fond de sa pensée précisément parce qu'elle l'aimait.

Lorsqu'il l'avait vue pour la première fois, il avait été tout sauf séduit. Il avait eu l'impression que le mari de Margrete, Egil Halsteinson, l'avait jetée dans ses bras. L'homme avait vu en Snorri un allié puissant dans les décisions de l'Althing. Et Snorri soupçonnait que les regards généreux et les rires de Margrete étaient dus à sa richesse et à sa puissance.

Dans la saga à sa gloire, il mettrait l'accent sur les dernières années. Au cours des cinq dernières années, aucun homme en Islande n'avait été autant dénigré. N'était-ce donc pas à lui, lui qui savait vraiment écrire, de se faire le champion de sa cause ? L'Histoire devait disposer d'une source fiable sur sa personne. Après que le roi Håkon eut fait assassiner le duc Skule, Snorri avait eu de nombreux ennemis. Il savait comment les prendre. Il allait les nommer clairement. Mais, en premier lieu, il devait bien faire entendre aux Islandais qui il était dans le vaste monde. Snorri Sturluson n'était pas seulement connu en Islande. Dans la majeure partie du Nord, mais aussi dans des villes comme Visby, Riga, Lübeck, Paris, Rome, Novgorod et Constantinople, on n'ignorait pas, du moins dans certains cercles, qui était Snorri. Il avait conscience que ce n'était pas dû à ses talents de plume, mais à l'influence politique qu'il exerçait en Islande et en Norvège. En outre, sa richesse et ses dons de stratège étaient de notoriété publique. Les gens qui jasaient sur sa soif de pouvoir et ses intrigues trouveraient à qui parler. Son influence remontait à bien plus loin que les douze années où il avait été choisi pour présider l'Althing, quand il avait été l'homme qui dit la loi.

Dans l'entourage du pape, à Rome, on lui donnait le nom de « prince des mers ». Le pape recevait sans cesse des messages des archevêques de Nidaros et de Lund, qui mentionnaient sa grandeur. Ses compatriotes devaient en être informés. Même s'il avait rédigé ses œuvres les plus célèbres alors qu'il était au faîte de son pouvoir, elles n'avaient pas été traduites. Elles le seraient. Il suffisait d'attendre. Peut-être l'*Edda*, la plus récente, cette poétique de l'art du scalde et son panorama sur la mythologie nordique, serait-elle la première ? Ou la *Heimskringla*, dans laquelle se trouvait la saga de saint Olav, celle dont il était le plus satisfait ?

Il n'épargnerait pas ses ennemis. Il avait pleinement conscience de ce que l'on disait sur lui. Et l'on n'attaquait pas Snorri l'historien et l'écrivain. Non, c'était le père *cynique*. Le beau-père *cupide*. Non, c'était le *fourbe* vassal du roi Håkon qui était diffamé. Le *suborneur impénitent* qui séduisait les femmes des autres. Du reste, il lui fallait se méfier de sa famille entière, les Sturlungar. S'il ne nommait pas ses ennemis, des innocents risquaient d'être soupçonnés.

Il commencerait par écrire sur Orækja. La relation entre lui et son fils était le sujet de conversation le plus fréquent. Il ne faisait pas mystère qu'il avait adoré Lille-Jon, son premier fils. Snorri rappelait sans cesse à Orækja que tous avaient admiré Lille-Jon. Et Orækja n'avait pas manqué de noter la gravité du ton de Snorri lorsque celui-ci parlait du petit Jon, et combien il lui manquait.

Jusqu'où pourrait-il aller lorsqu'il mentionnerait ses

conversations les plus intimes avec Orækja ? Il ne manquait pas de les commencer en disant que leur fortune risquait d'être menacée si telle ou telle personne n'était pas éliminée. Lorsqu'il n'avait plus rien à ajouter, il donnait à Orækja une tape sur l'épaule avec ces mots : « Ne fais pas de bêtises. » Le fils comprenait rarement les paroles de son père. Orækja l'admirait, il était content que son père n'eût pas la force de tuer. Contrairement à Snorri, Orækja était presque toujours silencieux. Il n'était pas dénué de talents, et n'ignorait pas l'ivresse ressentie à infliger des blessures. Orækja exécutait les meurtres que son père jugeait nécessaires pour conserver ou étendre la puissance et la richesse de la famille. Le fils était son bras armé. Et si jamais Orækja venait à comprendre qu'il n'éprouvait pas une once d'affection à son égard ? Snorri écrivit soigneusement le nom de son fils. Celui-ci semblait le regarder fixement. Il n'alla pas plus loin.

Ces derniers temps, le nombre de ses ennemis n'avait cessé de croître.

Hallveig avait été la femme la plus riche d'Islande. Après sa mort, Snorri n'avait pas fait venir ses fils, Klængr et Ormr, afin de partager avec eux l'héritage considérable. Tout indiquait qu'il avait l'intention de le conserver pour lui seul. Ses trois beaux-fils, Gissur, Kolbeinn et Arni, avaient ceci en commun que, au début, ils avaient aimé ses filles et apprécié la position qui allait de pair avec l'alliance aux Sturlungar par le mariage. Mais après quelques années, ils étaient devenus des ennemis de Snorri. Ils considéraient qu'il les avait trahis quand il n'avait plus eu besoin d'eux.

En échange d'une grosse somme et du titre de *lendmann*, Snorri avait promis de faire passer l'Islande sous la couronne norvégienne, voilà plus de vingt ans. Trois ans auparavant, le roi avait prié Sighvatr, le frère de Snorri, et Sturla, son neveu, d'amener Snorri en Norvège. Cette fois-ci, le roi avait confié la tâche à une personne suffisamment ambitieuse pour vouloir devenir l'homme le plus puissant d'Islande.

Et puis, il y avait les maris trompés, comme Torkild, le forgeron, et l'époux de Margrete. Ce dernier était un paysan libre décrépit qui avait toutes les raisons de vouloir voir Snorri manger les pissenlits par la racine après une mort sans gloire.

Oui, il allait écrire sur tous ses ennemis, mais aussi sur Margrete. Que d'années n'avaient-ils pas gâchées ! Il allait passer le restant de ses jours avec elle. Il s'étira dans son lit qui grinça pitoyablement. Ce furent là ses dernières pensées avant de s'endormir au milieu de la matinée.

Snorri ne soupçonnait rien de ce qui se préparait. Deux hommes se faufilèrent le long du mur de la maison, jusqu'à se trouver devant la pièce où il dormait. Ils entendaient ses ronflements. La porte fut ouverte avec précaution. Le plus grand resta un instant dans l'ombre, à observer alentour. Il s'approcha doucement de Snorri. Dans la main droite, il tenait une massue et un chiffon. Le second resta à la porte, sans cesser de surveiller dehors. Il n'était jamais venu à Reykholt. Il avait seulement vu Snorri de loin. Là, le scalde dormait profondément, la bouche ouverte. L'homme de grande taille se pencha sur Snorri et s'assura qu'il dormait réellement. Snorri tourna la tête sur le côté. L'homme à la porte retenait son souffle.

« La corde », murmura l'homme près du lit.

L'autre acquiesça et fit deux pas dans sa direction.

Snorri remua la tête et prononça quelques mots incompréhensibles. L'homme serra le manche de sa massue. Alors que Snorri tournait la tête de l'autre côté, ils entendirent des cris à l'extérieur.

« Il y a quelqu'un dans la maison ! »

Les deux hommes quittèrent la pièce et refermèrent soigneusement la porte avant que Snorri ne se réveille tout à fait. Quand ils passèrent en courant devant Gyda, la plus jeune servante, l'homme qui était du coin lui dit que si elle ou quelqu'un d'autre venaient à dévoiler son identité, ils mourraient avant la tombée de la nuit. Il lui dit qui les envoyait. Elle devint livide. Snorri se leva, secoua la tête et se traîna jusqu'à la porte. Il vit seulement Gyda.

« Est-ce que j'ai entendu quelqu'un ? »

Gyda fit non de la tête.

« J'ai sûrement rêvé. »

Elle acquiesça. Elle vit les hommes à cheval, derrière l'église. Ils attendaient. Dès que Snorri serait hors de vue, ils iraient retrouver celui qui les employait.

Snorri se rendit à l'écurie à pas sereins. Il se retourna. Gyda avait disparu. Dans la pénombre, il distinguait quatorze chevaux. Kyrre lui avait dit qu'il y en avait seize. Mais il n'en connaissait vraiment qu'un seul. Le plus petit, celui qui lui tenait le plus à cœur. Il s'en approcha.

« Merci, Sleipnir. Merci d'être toujours là. »

Le petit cheval souleva les pattes de devant et remua la tête. Son toupet lui tombait sur le front. Il hennit. Snorri parlait d'une voix douce et le caressa plusieurs fois. Sans cesser de parler doucement, il sortit de l'écurie à reculons. Dehors, il n'y avait personne. Même pas Kyrre, qui était censé surveiller les chevaux. Deux hommes et deux chevaux étaient partis. Bien entendu, ils reviendraient. Snorri en était certain. Il restait encore du monde, plus qu'il n'en fallait, pour faire tourner le domaine d'une manière convenable. Il n'y avait pas le moindre doute à ce sujet. Assurément, ce n'était pas aisé de trouver un forgeron aussi habile que Torkild mais, dans le pire des cas, il en ferait venir un de Norvège.

Snorri leva les yeux vers l'église, en direction de la porte Nord. Par la porte ouverte de la petite maison à côté de l'église, il crut voir bouger quelqu'un. Était-ce le prêtre ? Non, c'était sans doute le fruit de son imagination.

La journée était déjà bien entamée. Pourquoi donc n'y avait-il pas plus de gens au travail ? Lui fallait-il les appeler ? Ça ferait mauvais effet. Peut-être certains savaient-ils que Torkild s'était enfui. Que leur dirait-il ? Les moutons s'approchaient du domaine, dans l'espoir de trouver de l'herbe grasse. Ils collaient leur museau contre la terre sèche, comme si de rien n'était. Lorsqu'ils finissaient par trouver quelque chose, ils baissaient la tête, mordaient, relevaient la tête, broutaient les brins d'herbe jaunâtres, avant de baisser à nouveau la tête avec dignité pour chercher de la langue un quelconque rêve vert. Voilà ce qu'il allait faire : admettre que des gens étaient partis sans pour autant en paraître affecté.

Y avait-il autant de vaches que d'habitude dans le pré ? Il s'arrêta et se mit à les compter. De la main gauche, il se protégea du soleil qui transperçait de dards dorés le gros nuage gris. Les petits nuages disparaissaient à l'horizon en se dissipant. Certes, il avait davantage de vaches à Bessastadir, mais n'en avait-il pas un certain nombre ici ? Il recommença à les compter. Une fois encore, il parvint à soixante têtes. N'en avait-il pas soixante-deux ? En avait-on volé deux ? Il ne pouvait pas commencer à se faire du souci quand il ne se rappelait même pas combien de bêtes il possédait. Il lui fallait se satisfaire de savoir que, sous ses yeux, il y avait soixante têtes de bétail. C'était un nombre facile à retenir : autant de peaux suffiraient pour la moitié d'un livre.

Il fallait qu'il s'occupe. Oui, mais à quoi ? Il se força à rentrer. Pourquoi ne pas faire quelque chose d'agréable ? Il pouvait préparer ses beaux habits pour le lendemain. Les gens allaient sûrement s'inquiéter en le voyant errer ainsi au milieu des maisons. Dès qu'il serait chez lui, ils se mettraient certainement à vaquer à leurs occupations habituelles.

Il devait faire en sorte que les gens pensent qu'il avait laissé partir Torkild de son plein gré. Il pouvait prétendre qu'il avait envoyé Torkild effectuer une tâche pour lui dans le Nord. Comme il régnait une guerre ouverte entre les différentes familles, nul n'oserait poser de question. Oui, il lui fallait rentrer, il lui fallait cesser de traîner comme ça, il lui fallait relever la tête. Désormais, il allait sourire et dire quelques mots aimables aux personnes qu'il croiserait.

Alors qu'il se tournait vers la grande porte, il aperçut Gyda. Il marcha à pas vifs vers la maison principale, et héla la jeune servante. Elle détourna la tête puis braqua son regard droit devant elle et continua d'avancer, un peu moins vite. Ne comprenait-elle donc pas qu'il allait crier à nouveau ?

« Gyda ! »

Elle s'arrêta. Au lieu de venir vers Snorri, elle l'attendit. Ses cheveux étaient blonds, avec deux grosses nattes. D'habitude, la jeune fille potelée avait un rouge seyant aux joues et la réplique facile. Là, elle était pâle et muette.

Snorri remarqua qu'elle ne soutenait pas son regard comme à l'accoutumée. Snorri ne releva pas. Peut-être avait-elle vu Torkild s'enfuir à cheval ? Il ne lui demanda pas pourquoi elle semblait si pressée. Il lui fallait parler d'autre chose. Il se mit à lui expliquer à quel point Orækja était un poison pour lui. Elle ne le contredit point.

Il resta planté là, à regarder Gyda comme s'il ne la connaissait pas. Son fils en avait-il assez de lui ? À partir de quand un fils ne supporte-t-il plus son père ? Si lui, Snorri, était supprimé, Orækja viendrait à hériter de la moitié de Reykholt, de Bessastadir, et de bien plus encore.

Son fils essayait d'argumenter de la manière dont il pensait que lui, Snorri, le faisait, mais ses phrases lui échappaient des lèvres avant qu'il n'ait réussi à énoncer quelque chose de sensé. Ce qu'il finissait par bafouiller, il en était toujours mécontent. Son père l'aurait dit infiniment mieux. L'idée que devaient véhiculer les mots avait semblé si claire avant qu'il ne se mette à parler. À la place, ses paroles s'embrouillaient en longs écheveaux qui devenaient plus longs encore lorsqu'il voyait son père hocher la tête, sans comprendre. Il en avait toujours été ainsi, même lorsqu'il était enfant.

Snorri scruta Gyda. Oui, il était séduit. Elle avait juste vingt ans. Il avait vu que plusieurs personnes du domaine la taquinaient parce qu'elle boitait. En particulier, ceux qui ne risquaient rien, ou qui étaient de condition plus basse, comme les deux serfs, s'ingéniaient à la tourmenter. Il les avait bien pris sur le fait ! Mais à chaque fois, Gyda l'avait prié de ne pas châtier ces couards stupides. Snorri la trouvait si jolie, là, avec le poids de son corps qui portait sur son pied gauche, afin d'épargner sa mauvaise jambe.

Il observa attentivement le visage de Gyda. S'il n'y avait

pas eu Margrete, il aurait été délicieux de l'avoir dans son lit. Soudain, les paroles jaillirent de sa bouche. Il dit qu'Orækja avait toujours eu des problèmes avec les filles, aussi bien les servantes que les autres. Il en avait été témoin, et ce depuis les années de jeunesse d'Orækja, à Reykholt. Orækja n'avait presque jamais osé parler aux filles. Pendant des années, il les avait regardées de loin. Mais, aux yeux de Snorri, voir les filles de près était aussi normal que de voir du pain et du lait. Et si l'on ne s'approche jamais des filles, le désir en devient presque trop fort et trop grand. Lorsque Orækja voyait une fille se pencher pour faire la lessive dans le ruisseau, ramener ses cheveux en arrière ou lever le pied pour monter à cheval, sa tête devenait aussi ronde et immobile qu'un trou dans le sol où une souris vient de disparaître.

Snorri avait espéré que ses confidences allaient amener Gyda à parler de Torkild. Son corps entier indiquait qu'elle voulait poursuivre son chemin. Comme Gyda ne disait pas un mot, se contentant d'acquiescer ou de hocher la tête, Snorri finit par abandonner. Il se persuada qu'elle n'avait probablement rien vu du tout.

Quelques jours plus tard, Gyda et Kyrre discutèrent de cette étrange conversation tandis qu'ils contemplaient le cadavre du grand scalde. Gyda lui rapporta que les dernières paroles de Snorri avaient été pour lui dire qu'elle devait oublier tout ce qu'elle venait d'entendre. Puis il avait eu un sourire incertain, comme s'il doutait d'elle. Gyda avait été soulagée qu'il ne lui demande pas ce qu'elle avait vu. Elle était allée à la salle des banquets le plus rapidement possible et avait fait comme si elle était fort occupée.

Snorri rentra dans la maison. Quelle impatience le

saisissait ! Il s'installa à sa table de travail. Tout bien considéré, devait-il écrire sur ses enfants ? Ou peut-être seulement sur Lille-Jon et Orækja ? Mais, et les trois autres ? Pas un seul n'était capable d'écrire. Que leur avait-il appris ? Lui, à trois ans, il était à cheval, devant son père, Sturla Thordarson, et il quittait Hvammur, à l'ouest, pour aller à Oddi, tout au sud de l'Islande. Cinq jours de cheval, chaque jour un peu plus loin de Gudny, sa mère. Ils se rendaient chez Jon Loptsson, qui était alors l'homme le plus puissant de l'île, en 1181. Jon s'était engagé à élever le plus jeune des fils de Sturla. En compagnie de son père, Snorri avait traversé des rivières et des plaines, des prés et des vallées, avant d'arriver enfin chez l'homme qui, quelques années plus tard, devait lui enseigner le latin et d'autres langues, la théologie et la géographie, lui parler des grands débats de l'université de Paris, d'astronomie, des sciences de Cordoue, sans oublier Constantinople, où les Islandais et les Norvégiens se rendaient déjà depuis plusieurs centaines d'années.

C'était à Oddi qu'il avait entendu parler pour la première fois de Jérusalem, du Jourdain, de Jéricho et de Rome. De Londres et de la route de la Soie qui partait de Pékin, de Dublin – ah, quel rêve d'y aller et d'apprendre la langue des Celtes et leur histoire ! À Oddi, il apprit à écrire, penché sur les parchemins, la plume d'oie dans la main droite. Cela avait commencé par une lettre, puis plusieurs, un mot entier, une phrase. C'était chez Jon qu'il avait pu lire les livres qui se trouvaient en Islande. Son père nourricier lui avait procuré les fables d'Ésope, les grammaires latines de Donat et de Priscien. Le *Physiologus* qui décrivait des animaux qu'il avait vus et d'autres dont il n'avait jamais entendu parler. L'*Elucidarius* et d'autres écrits théologiques, la chronique du peuple de Troie, les histoires des apôtres Pierre et Paul, le dictionnaire, l'histoire du monde et bien d'autres encore.

Il contempla son exemplaire du *Physiologus* et l'ouvrit au bestiaire romain du début. Il se mit à le feuilleter au hasard. Les pages qui apparurent étaient celles qu'il avait consultées le plus souvent. ABEILLE, symbole du Saint-Esprit, vit du parfum des fleurs, image de la pureté et de l'abstinence. BOUC, qui donne des coups de cornes, toujours en rut et prêt à copuler. SANG DE BOUC, peut dissoudre les diamants. CRISTAL DE ROCHE, comme le diamant, le représentant du soleil contre le Diable. Et là ! LICORNE, la créature étrange qu'il ne faut pas confondre avec le narval, que d'aucuns prennent pour la corne de la licorne. Il se frotta le menton et regarda fixement le dessin de la licorne, avec sa corne sur le front et ses quatre pattes. Il ne connaissait personne qui en ait vu une. Il lut que lorsque la licorne aperçoit une vierge, elle se précipite sur elle, la renverse et pénètre les reins virginaux. RÊVE. Le génie mémorable du rêve. CROCODILE. L'animal qui a surgi de la fange originelle. LION. Comme le serpent, il peut fixer le soleil sans ciller. Efface ses traces avec sa queue. Snorri revint rapidement à l'illustration du léopard avant d'aller à PERROQUET et à PAON. Là, son regard tomba sur les mots VANITÉ et ŒIL DE DIEU. Il contempla un instant l'œil médiocre qu'il avait griffonné sur le parchemin. Il n'écrirait pas davantage aujourd'hui. Aujourd'hui, répéta-t-il, comme si de nombreux lendemains allaient suivre. Il parcourut les mots TORTUE, AUTRUCHE, TIGRE et GRUE avant de reposer le fort volume. En fait, qu'avait-il donc donné à ses enfants ?

Snorri se rassit à la longue table, le souffle court. La

venue de Margrete lui ferait du bien. À condition qu'elle ne passe pas tout son temps à parler de Constantinople et de l'an 1204. Cela n'arrangeait pas les choses qu'elle eût cruellement raison. Le visage de Margrete lui vint clairement à l'esprit. Demain, elle allait arriver, descendre de cheval, le serrer dans ses bras, écarter les cheveux de son front et le contempler de ses yeux verts. Il prit le chapeau qu'il porterait pour sa venue, il le brossa et le tint dans sa main droite. Il ouvrit la porte et sortit sur la dalle de pierre devant la maison. Il tenait le chapeau comme s'il implorait le ciel. Puis il rentra et reposa le couvre-chef.

Il avait oublié de se couper les cheveux. Il les tira. Il prit la plus grande des trois paires de ciseaux sur la table, s'approcha de l'âtre, s'accroupit et se mira dans le chaudron neuf et brillant. Il guida prudemment les ciseaux vers les longues mèches de la nuque, hésita quelques secondes puis coupa, une fois, deux, trois et quatre fois. Il reposa les ciseaux et s'observa longuement avant de se relever. Il brossa les cheveux blonds, gris et blancs. Il s'accroupit et se contempla encore. Margrete ne manquerait pas d'être satisfaite.

Ah non, il devait parler à Kyrre ! Il frissonna. Il mit son manteau bleu sur son tricot et attacha le fermoir à l'épaule. À grands pas, Snorri alla à la grange où Kyrre se trouvait habituellement. Il héla le garçon d'écurie. Il regarda en direction de la grange, puis de l'écurie. Kyrre soignait et pansait toujours les bêtes dehors. Snorri ne vit ni les chevaux ni le garçon. Mais où était donc passé Kyrre ? La porte de la grange était ouverte ! Ce serait grave si les bêtes entraient ici et se mettaient à entamer le fourrage de l'hiver. Snorri ferma la porte. Mais qu'est-ce qui bougeait, là-bas, au coin droit de la grange ? Ce devait être Kyrre.

Se cachait-il ? Snorri avança du plus vite qu'il put. Hors d'haleine, il attendit que sa respiration fut à nouveau normale avant de se faufiler jusqu'au coin. Personne. Avait-il donc eu la berlue ? Il se glissa jusqu'au coin suivant. Une branche craqua. Snorri tenta de contourner plus vite encore le coin sud. Il trouva Kyrre qui gisait sur le dos et se tenait le genou.

« Pourquoi te caches-tu ?

– Je ne savais pas que c'était vous.

– Pourquoi n'y a-t-il personne au travail ?

– Ah bon, il n'y a personne au travail ?

– Nous recevons des gens de qualité, demain.

– Vraiment ?

– Où est parti Torkild ?

– Je ne sais pas.

– Torkild t'a bien dit quelque chose, n'est-ce pas ? »

Pas de réponse.

« Tu mens ! » cria Snorri.

Kyrre secoua la tête plus vivement encore. Snorri le regardait fixement. Kyrre baissa les yeux.

« Les autres savent peut-être où il est. »

Snorri se détourna et rentra.

Il devait faire des frais de toilette. Demain, Margrete serait là. Cela faisait six ans qu'il la connaissait, mais elle venait à Reykholt pour la première fois. Il prit les ciseaux fins sur la table, à côté du peigne. Il se tailla la barbe, sans se mirer dans le chaudron luisant.

Juste après avoir pris le peigne, Orækja lui revint à l'esprit. Son fils était capable de tout détruire. Absolument tout. Il posa le coude sur la table et appuya lourdement sa tête sur sa main droite. Il avait tellement aimé Jon et

Hallbera, les enfants nés de son union avec Herdis, sa première épouse. Ils lui manquaient.

Y a-t-il rien de pire que de survivre à ses enfants ? Jon avait reçu son nom de Jon Loptsson, le père nourricier de Snorri. Lille-Jon avait été pâle et chétif. Et il avait grandi si tard ! Ni lui ni Herdis n'avaient compris pourquoi. Une fois, pendant la toilette du matin, Herdis avait appelé l'enfant *Murtr*, et ce surnom de « Menu fretin » lui était resté toute sa vie.

Quand Jon avait dix-huit ans, il fut assassiné.

L'année d'avant, Snorri avait promis aux chefs norvégiens qu'il enverrait son fils en Norvège, comme gage qu'il veillerait personnellement à instaurer la paix entre les Islandais et les Norvégiens. Les habitants d'Oddi et les marchands de Bergen dominaient le commerce avec l'Islande. Et le commerce avec la Norvège était essentiel pour les Islandais. La paix se fit, et Jon rentra avec les compliments du jarl et du roi. Combien n'avait-il pas été fier du garçon, à ce moment-là ! Jon n'était pas du genre à se vanter de ses exploits. « Menu fretin » dit seulement qu'il avait fait ce que son père lui avait demandé. Rien de plus. Il avait écarté les bras, dévisagé son père et souri. Quel instant ! Là, Snorri s'était cru l'homme le plus riche et le plus comblé d'Islande.

Dans la semaine qui avait suivi son retour de Norvège, Jon avait frappé à la porte de Snorri. Après que son père lui eut crié d'entrer, « Menu fretin » était resté près de la porte. À voix basse, il avait expliqué ce qui l'amenait. Le père avait continué d'écrire, plongé dans ses pensées.

« Ça ne le justifie pas ! » avait tempêté Snorri.

Jon venait de lui dire qu'il voulait se marier avec Helga Sæmundardottir, d'Oddi. Snorri avait acquiescé et s'était frotté le nez avec sa plume. D'une voix plus basse encore, Jon lui avait demandé s'il ne devait pas recevoir un cadeau de noces, et peut-être le domaine de Stafaholt. À ses yeux, c'était plus que raisonnable après tous les services qu'il avait rendus à son père en Norvège. Snorri avait à peine répondu ! Il avait baissé la tête et s'était remis à écrire calmement. Son regard avait glissé des mots à la plume, du canif à l'encrier, jusqu'à la mine à côté du parchemin, comme si rien n'avait été dit.

Jon quitta Reykholt sans un mot. Il se rendit chez sa grand-mère maternelle et chez son oncle Thordr, et là, il obtint ce dont il avait besoin. Quelle honte. Snorri essaya de réparer. Bien sûr, Jon recevrait Stafaholt et le domaine qu'il avait mentionné. Snorri le pria de revenir. Jon devait bien comprendre qu'il était le préféré de son père ? Mais Jon refusa de le revoir.

Le regard de Snorri se voila, il se leva et tapa du poing droit sur la table.

Jon était reparti en Norvège. Là, il fut bien accueilli. Le jarl Skule en fit un *hirdmann*, et il rencontra le roi Håkon à Bergen. Ils s'entendirent fort bien. Leurs conversations coulaient si facilement, leur entente était si grande que Snorri comprit que sa vie aurait été toute autre si seulement il avait su apprécier les qualités de Jon à leur juste valeur. À Bergen, Jon habitait avec Gissur Thorvaldsson, lequel épousa plus tard la demi-sœur de Jon, Ingibjørg. Un soir, Jon et Gissur rentrèrent à l'auberge en compagnie d'un inconnu. Ils étaient saouls comme des grives. C'était Jon qui avait offert l'hospitalité à l'étranger. Jon, si gentil, si généreux.

Tard dans la nuit, une bagarre éclata. L'invité, Olafr Svartskald, frappa Jon d'un coup de hache et disparut. Jon considéra qu'il convenait de traiter cette blessure par le mépris. Une semaine plus tard, il était mort.

« Jon ! » s'écria Snorri.

Il eut du mal à respirer. Son cœur s'emballait. Il ouvrit la porte pour avoir un peu d'air frais. La chatte grise qui attendait des petits était là. Il la chassa d'un coup de pied. Il contempla Reykholt. Là-bas, il y avait au moins deux personnes qui s'étaient mises au travail. Il ne parvint pas à voir de qui il s'agissait. On aurait dit qu'elles creusaient une sorte de tranchée étroite. Il distingua le bassin d'eau chaude, le seul endroit où il pouvait apaiser ses soucis. Il songea à la tête basse de Gissur Thorvaldsson, le soir où ce dernier était venu lui annoncer ce qui était arrivé à *Murtr.* Ses paroles, ses paroles désemparées, sa voix étouffée, Gissur qui cherchait son souffle, leurs étreintes, les insultes qu'ils lançaient sur le compte d'Olafr, l'homme qui avait remercié la gentillesse de Jon par un coup de hache, Snorri et Gissur qui se coupaient la parole en évoquant tous les bons souvenirs de celui qu'ils avaient adoré.

Snorri se pencha pour prendre le vase de céramique byzantin posé sur la table. Margrete le lui avait donné. Le motif était peint au pinceau, des traits noirs sur fond blanc. On distinguait un phare, en rouge, derrière une femme et un homme. Cela renvoyait au mythe d'Héro et de Léandre. Margrete lui avait dit que le phare se trouvait sur une petite île du Bosphore, non loin de Constantinople.

Qui Torkild allait-il donc servir maintenant ? Orækja ? Était-ce donc cela, l'explication ? Snorri vit Gyda qui, cinq jours plus tard, allait courir dans le domaine, effrayée, en criant qu'il avait été tué.

Cela faisait dix ans que les deux enfants dont il se sentait le plus proche étaient morts. Lille-Jon, le premier, puis Hallbera. Elle était morte de maladie. Hallbera avait d'abord épousé Arni Magnusson le Confus, mais elle avait divorcé, puis s'était mariée avec Kolbeinn. Snorri avait eu Thordis, Ingibjørg et Orækja hors mariage, avec des mères différentes.

Snorri sortit ses beaux vêtements et les déposa doucement sur le banc, avec le chapeau par-dessus. Il sourit. Quel que fût le temps, où qu'il se trouvât, il pensait chaque jour à Margrete. Le soleil perçait à travers les nuages. Il alla à sa table de travail. N'y avait-il pas une odeur de brûlé ? Il jeta un coup d'œil à l'âtre. On n'avait pas fait de feu depuis plusieurs jours. L'odeur venait-elle du dehors ? Devait-il sortir ? Non. D'autres s'en chargeraient.

Snorri voulait éviter de rencontrer Arnbjørn, le prêtre, qui était capable de discourir sur des broutilles pendant des heures, comme si l'éternité avait été créée pour lui. Toutefois, il était le seul à Reykholt avec qui Snorri pouvait s'entretenir des sujets élevés, des rois de Norvège et d'autres pays, et de la Bible. En plus d'être cultivé, Arnbjørn avait beaucoup voyagé.

Snorri n'avait pas vu Arnbjørn depuis qu'il l'avait surpris dans le bassin, trois jours auparavant. Cela avait été pénible, mais Snorri avait trouvé curieux que le prêtre cherche à se cacher. Jadis, un soir qu'ils jouaient aux échecs et buvaient ensemble, Snorri lui avait fait part du secret que nul ne connaissait au domaine. Il n'y avait pas qu'un seul souterrain entre le bassin et la demeure principale. Il existait plusieurs passages secrets sous Reykholt que l'on pouvait utiliser en cas de danger. Après l'attaque menée par Sturla et Sighvatr, les remparts autour de Reykholt avaient été renforcés, mais l'effort avait été principalement mis sur une issue souterraine. Le prêtre avait juré de ne jamais dévoiler ce secret. Aujourd'hui, Snorri regrettait d'en avoir dit autant à Arnbjørn. Et il restait seulement un moyen pour qu'Arnbjørn garde le silence. Il fallait le faire tuer.

Snorri se déshabilla en marchant sur les dalles du bassin arrondi, qu'il avait construit sur le modèle romain. Il était seul lorsqu'il plongea son corps dans l'eau chaude qui déborda sur le rebord de pierre avant de filer dans l'herbe. Il poussa un soupir lourd. Snorri adorait se baigner dans l'eau, naturellement chaude quelle que soit la saison. Il avait construit le bassin de ses propres mains. Il en était fier. Il avait baptisé ce bassin du nom de « bain de Snorri ».

Orækja posait peu de questions sur sa mère. Les rares fois où il avait interrogé Snorri, ce dernier s'était efforcé de changer de sujet. Snorri avait fait élever le garçon à Reykholt. Il n'osait pas le perdre de vue. Combien de fois n'avait-il pas songé à renier sa paternité, à chasser Orækja et à lui demander de disparaître pour de bon. Il leva le bras droit et, de la paume, il fit quelques vaguelettes qui allèrent clapoter contre les pierres du bord. Puis la surface de l'eau redevint un miroir. Il s'y regarda. Tant son visage que son corps étaient semblables à ceux d'Orækja.

Snorri se souvenait de la première fois où il avait vu Orækja. Thurid, sa mère, lui avait tendu le nouveau-né. Il avait été surpris de voir combien le braillard avait de cheveux. Elle lui avait demandé s'il ne voyait pas que c'était un garçon. Il avait hésité pour répondre, et elle lui avait placé le petit bonhomme sous le nez. Snorri avait regardé les cheveux ébouriffés. L'enfant criait à gorge déployée, il n'y prêta pas attention. Les yeux étaient clos, les paupières serrées de colère, à cause d'un mal d'estomac ou de la faim. Les petits yeux s'entrouvrirent à peine. La plupart des gens diraient que l'instant était à peine perceptible, mais il dura suffisamment pour que les parents n'eussent aucun doute. Orækja était le fils de Snorri.

La relation entre Snorri et Orækja s'était gravement détériorée après leur retour de Norvège, deux ans auparavant. Cela ennuyait beaucoup Snorri de penser à l'incident.

Le voyage avait commencé paisiblement. Dans la semaine avant qu'il n'embarque pour son dernier voyage de retour en Islande, en 1239, il avait fait plusieurs cauchemars durables. Le jour du départ, par un matin clair et une mer d'huile autour de Munkholmen, devant Nidaros, il entendit un cri et une voix nette qui lui ordonnait de rester. Cela lui rappela expressément ce qu'il devait savoir, c'est-à-dire qu'il comptait d'innombrables ennemis en Islande. La surprise, quoique certaine, ne dura point. Quelque idée désagréable s'agita dans son esprit et y créa le désordre, mais elle se remit tout de suite en place, comme les chats et les chiens qui se lovent l'un contre l'autre devant la cheminée.

Snorri ne se demanda pas d'où venait cette voix. Il tenait trop à ignorer ce qui venait d'être dit.

Il était resté là, le pied droit posé sur la rambarde. En bas, sur le bord de mer, deux femmes avaient relevé leurs jupes et pissé sur les filets afin de porter chance aux pêcheurs. Derrière elles s'étendaient la ville de Nidaros et le pays où il ne reviendrait jamais. Il donna ses ordres d'une voix claire, et ils firent voile avec, à bord, quarante hommes, deux femmes et son fils Orækja.

Il était connu comme un homme qui doute, un homme qui tergiverse sans fin avant de prendre une décision. À son avis, grâce à son argent et à ses talents d'écrivain, il s'en sortirait une fois encore. Même si l'on n'avait jamais vu autant de tempêtes en mer de Norvège à cette période de l'année, Snorri insista pour rentrer sur l'île au milieu de l'Atlantique. Snorri voulait rentrer en Islande à n'importe quel prix, ce petit pays sous l'étoile Polaire, l'île de feu et de glace. Il lui fallait rentrer pour conserver ce qu'il lui restait de pouvoir et de biens.

Quelle que fût l'identité de ceux qui avaient essayé de le dissuader, il avait ignoré leurs mises en garde. La dernière fois qu'il avait effectué la traversée, vingt ans plus tôt, le mât avait cassé. Tout laissait donc penser que ce serait une traversée dramatique, avec gros temps, vents violents, vagues déchaînées, crêtes écumeuses en forme de crocs, rames brisées, voiles déchirées et hommes à la mer, et lui-même serait frappé à l'arrière du crâne par la bôme, il tomberait par-dessus bord, sa bouche et son ventre se rempliraient d'eau salée et il coulerait dans les abysses. Cela n'arriva pas. Naturellement, comme devaient le dire nombre de ses contemporains, les tempêtes cessèrent juste après qu'il eut quitté la terre ferme. Dès l'instant où il monta à bord, on aurait cru que la mer n'avait jamais eu une vague.

Pendant plusieurs jours, il but et mangea avec ardeur, application et plaisir, et se montra extrêmement attentionné avec les dames à bord. Il haussa les épaules lorsque l'on lui demanda s'il avait eu une apparition du Seigneur Tout-Puissant qui lui aurait dit que les tempêtes allaient cesser. Sa mine surprise indiquait qu'il considérait le beau temps comme une évidence, à l'instar d'une personne habituée à obtenir ce qu'elle veut. Ils ne croisèrent pas un bateau de toute la traversée. Tout ce qu'ils virent, ce fut trois voies de bois dérivant sur les eaux. Le père et le fils parlèrent gaiement du roi Håkon, qui leur avait interdit de rentrer en Islande, et de leur chère patrie qui leur manquait tant.

L'incident se produisit à deux nuits de l'Islande. Quelques bancs de brume faisaient qu'il était plus difficile de s'orienter d'après les étoiles, et Orækja avait émis des objections au sujet des instructions de navigation que son père avait données au barreur. Ceux qui entendirent Orækja trouvèrent qu'il s'exprimait avec gentillesse, avec une clarté et un calme inhabituels. L'homme qui tenait la barre ne dit rien, mais il n'était guère difficile de voir qu'il avait envie de suivre les conseils d'Orækja. La soirée était presque chaude. Et y a-t-il rien de plus menaçant qu'une mer d'huile ? Snorri regarda le barreur, puis son fils. Et il hurla. Les gens se dévisagèrent, interdits, et leurs regards se portèrent sur Snorri et son fils. Ils craignaient qu'Orækja ne s'emporte.

Snorri se tut brusquement et le regarda fixement. Orækja lui rendit un regard étonné. Le fils secoua la tête, comme s'il voulait dire à son père qu'il se méprenait, et il ne bougea pas.

À pas décidés, Snorri alla chercher un cordage à l'arrière du bateau. Il ordonna à son fils de s'asseoir.

« J'ignore ce qui peut te passer par la tête, aussi loin en mer. »

Sans protester ni montrer le moindre signe de résistance, Orækja s'assit sur le plancher. Snorri lui demanda de mettre les mains derrière la nuque. Et Orækja fut attaché au banc de nage, le dos tourné vers la proue. L'homme de barre reçut l'ordre de le ligoter. Snorri alla au gouvernail, contempla la mer et dirigea le bateau. Oraekja conserva la même position la nuit entière, pendant que les autres dormaient autour de lui. Une seule personne resta éveillée, son père. Le père et le fils n'échangèrent pas un mot. C'est seulement le lendemain matin que l'homme de barre eut la permission de détacher Oraekja. Personne n'osa mentionner avec eux ce qui s'était passé.

Quand ils commencèrent à distinguer l'Islande dans le lointain, les plus jeunes se mirent à chanter et à crier. Un jour plus tard, ils étaient enfin arrivés. Ils virent d'abord deux mouettes, puis des centaines, et deux aigles de mer qui tournoyaient au-dessus. La silhouette familière des Vestmannaeyjar se fit de plus en plus nette à travers la brume. L'équipage remercia le ciel pour lui avoir permis, une fois encore, de revoir les vertes prairies et les falaises qui tombaient à pic. Certains joignirent les mains et se mirent à marmonner.

Le bateau toucha terre. Comme des enfants qui font la course pour arriver le premier, Oraekja se précipita pour descendre et renversa deux hommes d'âge mûr. Snorri détourna la tête, honteux, et soupira lourdement. Puis son cheval fut mené sur la passerelle. Était-il donc vraiment si petit ? Snorri resta sur le pont et regarda une fois encore le petit cheval islandais avec sa robe épaisse et marron, comme pour s'assurer que c'était bien Sleipnir. Il descendit la passerelle, voûté, la tête pleine d'innombrables images de ciel et de mer, de mouvements de l'étrave et d'horizons prévisibles.

À peine à terre, Snorri cria à Kyrre de prendre son sac. Puis il monta sur Sleipnir. Ce dernier traînait parfois les pattes dans les montées. Il se mit à pleuvoir. Ce jour-là, Snorri resta à cheval jusqu'à la tombée de la nuit. Orækja le suivait, un peu en retrait.

Environ un kilomètre avant que leurs chemins ne se séparent, Orækja se porta à la hauteur de son père. Snorri regarda droit devant lui, ou la crinière de Sleipnir. Le père et le fils avancèrent côte à côte, sans dire un mot. Dès qu'il vit le chemin qui conduisait à Stafaholt, Orækja éperonna son cheval noir et dépassa Sleipnir. Son père ne leva pas les yeux. Orækja s'arrêta net devant Snorri. Il daigna enfin lever la tête. Ils étaient seuls. Snorri avança jusqu'à son fils. Orækja aurait pu tendre les bras et le jeter à terre. Il était fort et souple. Oui, il aurait pu tuer Snorri à mains nues, ou avec l'épée qui pendait le long de sa cuisse. Le roi de Norvège et nombre des puissants d'Islande l'aurait félicité. Les chevaux piaffèrent. Les deux hommes percevaient le souffle de l'autre. Snorri regardait le cheval d'Orækja d'un air indifférent. Orækja tentait de capter le regard de son père. Il lâcha les rênes et tendit la main :

« Pardonne-moi, père, tu avais raison. »

Snorri regardait toujours le cheval.

« Tu avais raison, à bord », ajouta Orækja avant de ramener la main vers lui.

Orækja s'éclaircit la gorge et marmonna un au revoir hésitant tout en guidant son cheval sur le chemin de Stafaholt.

Dès que son fils fut hors de vue, Snorri caressa Sleipnir, lui dit quelques mots gentils et partit vers Reykholt. Il le mena au *tölt*, cet amble aux pas aériens, le poussa au trot et le ramena à l'amble. Snorri parla seul et à voix haute d'Orækja, le cheval dressa les oreilles pour saisir la voix familière de Snorri. Sleipnir hennit. La pluie cessa. Le ciel vira à l'indigo avant de prendre un éclat violet, puis une teinte rouge pâle qui se refléta à l'intérieur des nuages, derrière des lances d'or, et l'obscurité douce tomba sur le paysage, sur le cheval et son cavalier.

Snorri alla trouver son épouse Hallveig Ormsdottir, qui avait habité Breidabolstadir avec ses deux fils, Klængr et Ormr, pendant qu'il était en Norvège. Hallveig rentra à cheval à Reykholt avec Snorri.

Snorri étendit les bras et les posa sur le bord du bassin. Les pierres lui raclaient la tête. Il souleva les hanches dans l'eau, et ses jambes redressèrent son corps à la verticale. Ses pieds retrouvèrent le fond dallé, comme deux ancres lourdes et blanches de chair et d'os. Ses chevilles ne paraissaient-elles pas moins enflées dans le bassin ?

Lorsque surgissaient des tâches qui devaient rester confinées aux ténèbres, des tâches dont Snorri ne voulait ni ne pouvait se charger, il faisait appel à son fils comme l'on recourt au Diable. Il avait besoin d'Orækja.

Les seules fois où Orækja lisait quelque chose qui ressemblait à du soulagement sur les traits de son père, c'était lorsqu'il avait éliminé un ennemi. Snorri ne disait jamais merci. Il avait un problème de moins, mais, bien vite, il exprimait ses soucis à propos d'autres ennemis et rivaux. Il n'était jamais pleinement satisfait.

« Est-ce que je peux faire quelque chose de plus, père ? » demandait Orækja. À chaque fois, Snorri était agacé par la soumission de son fils, par son zèle à l'amadouer, alors qu'il ne manquait jamais d'employer ses services.

Snorri remua les doigts sous l'eau. Il se retourna brusquement. Heureusement, les maisons étaient toujours là.

Orækja n'était pas méchant par calcul. Son père lui reprochait souvent de faire preuve de naïveté envers les gens avec qui il voulait rester en bons termes. Mais Orækja était un pataud brutal. Si l'intention était de briser le petit doigt de quelqu'un, il lui brisait tous les doigts, le poignet et l'avant-bras. Snorri tapa dans l'eau avec la paume de sa main.

« Il est une hache pour son père », disait son neveu Sturla. Même lorsque Orækja n'était qu'un enfant, Snorri était soulagé chaque fois que son fils devait s'éloigner de Reykholt.

Snorri sentit le fond du bassin sous ses pieds et fit un pas en avant. Il eut de l'eau jusqu'à la poitrine. Il plongea la tête dans l'eau chaude. Il retint sa respiration pendant quelques secondes, se redressa et ramena brusquement ses cheveux en arrière en éclaboussant autour de lui.

À une journée de cheval de Reykholt, Margrete était allongée. Egil, son mari, était couché sur elle, il gémissait et embrassait les taches de rousseur sur son nez. Elle ferma les yeux et s'imagina Snorri qui l'attendait à Reykholt. Rien ne ronge autant les gens que le bonheur conjugal.

Le même jour, le roi Håkon arriva à Nidaros. Le serviteur personnel de l'évêque courut jusqu'au souverain. Avant même que ce dernier ne parvienne à lui poser la question, le valet lui annonça que l'on n'avait pas de nouvelles de Snorri. La mission n'était pas encore exécutée. Orækja se rapprochait de Reykholt au grand galop. Trois jours plus tôt, un bateau avait atteint la côte ouest de l'Islande. À bord, il y avait des émissaires du pape. Ils avaient une lettre à remettre à Snorri.

Toujours dans son bassin, Snorri se demandait où pouvait être Orækja. Kyrre, qui avait vu Snorri aller à son bain quotidien et en revenir, fut toutefois surpris par la taille du vieux scalde lorsqu'il le contempla quelques jours plus tard, nu sur une voile grise, avec des taches bleues sur la peau qui ne cessaient de grossir.

C'était Snorri qui avait arrangé le mariage entre Orækja et Arnbjørg, la sœur de Kolbeinn. Il avait pensé que cela resserrerait les liens entre les Sturlungar et les Ásbirningar. On ne demanda leur avis ni à Arnbjørg ni à Orækja. Snorri escomptait que le mariage calme un peu son fils de vingt-sept ans, car Arnbjørg était à la fois forte et intrépide. Mais Orækja devint plus violent encore. Et Arnbjørg ? Elle se montra parfaitement loyale et secourable envers son époux. Elle défendit toujours les actes de son mari et soigna ses nombreuses blessures avec le soin d'une diaconesse envoyée du ciel. Orækja avait enfin trouvé un soutien véritable. Il déclara à plusieurs reprises qu'elle était la seule personne de l'Islande entière à le comprendre. Le choix judicieux de Snorri n'avait fait que renforcer l'amour et le respect qu'il portait à son père.

Lorsque Snorri tentait de faire entendre raison à son fils, Arnbjørg ne manquait pas de lui rappeler qu'il n'était pas venu à leur mariage. Snorri n'avait pas davantage tenu la promesse faite à son frère Kolbeinn lorsqu'il avait épousé Hallbera, alors qu'il leur avait assuré le domaine de Mel. Juste après leur mariage, Snorri avait eu besoin d'aide contre la famille des Vatnsfirdingar, près de l'Isafjord, dans le nord du pays. Et Orækja n'avait pas dit non. Snorri voulait être sûr que les impôts fussent collectés en temps et en heure, et c'était loin de Reykholt. En plus, il avait besoin de calme pour écrire.

Peu après l'arrivée d'Orækja dans l'Isafjord, Snorri apprit que des meurtres et des pillages avaient été commis. Pire encore, Orækja avait déclaré qu'il agissait sur ordre de son père. Pourtant, cette fois-ci, Snorri n'avait demandé la mort de personne.

Snorri jeta un coup d'œil à son ventre poilu. Son nombril était invisible. Qu'il regrettait d'avoir envoyé Orækja au nord ! Aurait-il dû y aller lui-même ? Il ne possédait pas la force de son fils dans les moments décisifs. Il tapa de la main dans l'eau. Des gouttes giclèrent sur les pierres alentour. Snorri regarda l'eau qui coulait de sa barbe en bataille.

Était-ce le vent qui lui jouait un tour ? Y avait-il donc un feu allumé non loin ? Avec moult efforts, il sortit du bassin en éclaboussant autour de lui. Nu, il traversa le remblai et passa près de la meule. La fumée montait de la remise à outils de Torkild. Y avait-il quelqu'un ? Il allait le surprendre. Il n'eut même pas le temps de s'inquiéter du fait qu'il ne portait pas d'arme. Il poussa la porte. Personne ! Un maigre feu était allumé sur le côté. Il n'avait pas bien pris. Snorri l'éteignit avec une pelle. Il avait envie de crier, de rassembler tous les gens de Reykholt et de leur demander qui se tramait. Où était Orækja ? Avait-il l'intention de chasser son propre père et de reprendre le domaine ? Il regarda par la porte. Il n'y avait personne en vue.

Snorri s'habilla et alla à l'écurie à pas décidés. Il lui fallait trouver Orækja. Il monta sur Sleipnir et sortit de Reykholt d'une allure tranquille. Il levait la tête et le menton, il se tenait droit, bombait le torse, ses coudes étaient collés au corps. Mais quelle direction devait-il prendre ? Juste après avoir passé la porte, il pressa l'allure. Il serra les chevilles dans les flancs du cheval en même temps qu'il raccourcissait les rênes afin de mieux le guider. Avec des mouvements souples des poignets et des mains, il envoyait des signaux à la bouche de Sleipnir. Ses pouces étaient levés, tandis que ses doigts agissaient comme s'il était en train d'essorer un chiffon. Pour presser l'allure, il parla doucement, mais fermement, au cheval. Sleipnir préférait ce trot agréable. Même si les chevaux islandais possèdent un bon sens de l'orientation, Sleipnir était spécial. Il avait plusieurs fois retrouvé seul le chemin de Reykholt. Ainsi, deux semaines plus tôt, il s'était enfui de l'écurie de Borg. Snorri passa à côté de l'écurie ouverte entourée d'un vaste enclos pour l'hiver.

Dès que Reykholt fut hors de vue, il s'arrêta. Le crâne d'un cheval gisait devant lui, sur le chemin. Il ne l'avait jamais vu. C'était étrange. Cela ne faisait pas longtemps qu'il était passé par là. Le bas du crâne ressemblait à une couture déchirée. Il descendit de cheval, souleva le crâne à deux mains et l'observa. Du sable s'en écoula lorsqu'il l'inclina. Il le reposa sur le chemin et remonta sur Sleipnir. La journée n'était pas finie. Il restait un bon moment avant que les ultimes éclats de lumière ne s'étendent sur la plaine derrière lui, et ne se retirent à la périphérie du monde dans un bleu froid. Et il s'écoulerait plus longtemps encore avant que les pépiements d'oiseaux ne s'éteignent dans les broussailles sombres autour de lui.

Snorri claqua la langue et Sleipnir se mit en mouvement. La fine poussière voleta sur les pattes du cheval. Snorri colla les talons de ses bottes contre les flancs de la monture. Il était penché en avant sur la selle, les rênes dans la main gauche, et Sleipnir passa au galop.

Snorri aurait tant aimé croire que ce crâne de cheval n'était qu'une coïncidence, voire une farce, et non un avertissement. Ou, s'il s'agissait bien d'un avertissement, qu'il ne lui était pas destiné. Il marmonna à Sleipnir que c'était sûrement le cas. Sleipnir était le seul être qu'il semblait vraiment connaître. Lorsque les juments étaient en rut, Snorri avait l'habitude de lui parler d'une voix grave, sans mentir. Et les rares fois où Sleipnir était en colère, il l'apaisait par des phrases bibliques. Il comprenait.

Peut-être Sleipnir savait-il où était Orækja ? Ce dernier chevauchait souvent dans les parages. Sleipnir s'arrêta net, se cabra et hennit. Le cœur charnu à l'intérieur du ventre bombé injecta du sang dans les membres tendus. Les fémurs solides parvinrent à peine à maintenir le corps debout avec l'aide des nerfs et des muscles bandés. Ils étaient comme des haussières qui s'étiraient et se contractaient sur les os et les rotules. Les deux sabots qui durent encaisser le poids ressemblaient à des puits enfoncés dans le sol poussiéreux. Le toupet se balançait devant les grands yeux, deux globes agités et enfiévrés où brûlait le monde. Les lèvres grasses cachaient une forêt de dents. Snorri passa vivement la main droite sur la tête de Sleipnir. Il avait failli tomber, mais s'était retenu de justesse. D'une voix douce, il s'efforça d'apaiser Sleipnir. Lorsqu'il put enfin descendre, il vit devant lui une tête fichée sur une perche.

Snorri cria le nom de son fils.

Snorri se remit en selle et se morigéna d'avoir envoyé Orækja contre Kolbeinn, deux ans plus tôt. Certes, Kolbeinn ne lui avait pas réglé la part de l'héritage qui lui revenait après la mort d'Hallbera, mais cela faisait plus de dix ans qu'elle était morte. La cupidité de Snorri était bien réelle, et il n'en avait pas conscience. Une chose l'inquiétait : cet incident aurait pu, sans qu'il le sache, pousser Orækja à prendre le parti de Kolbeinn ou de Thordr. Les deux hommes ne lui étaient quasiment redevables de rien. Thordr n'avait jamais cru aux excuses de Snorri. Et Snorri le savait.

Accompagné d'une troupe de pauvres hères, bien armés et ivres de butin facile, Orækja s'était mis en route. Alors qu'ils voyaient enfin le domaine de Kolbeinn, un envoyé de Snorri était arrivé au galop. Il y avait plusieurs chevaux devant la maison principale. Nombre des hommes affamés rêvaient de ce que pouvait contenir le grenier qu'ils voyaient au loin.

Quinze hommes bandaient leurs arcs devant le cheval d'Orækja lorsque le messager lui tendit l'étui de cuir. Il l'ouvrit rapidement. Le regard d'Orækja allait de ses archers à l'émissaire. Il relut la missive. Il n'y avait aucun doute. C'était bien l'écriture et la signature de son père. S'il tuait l'envoyé, il pourrait dire à Snorri qu'il n'avait jamais reçu de contrordre. Orækja tourna la tête vers les archers. Il leur ordonna de baisser leurs arcs. Un des hommes lui demanda si cela voulait dire qu'ils ne devaient pas allumer la pointe de leurs flèches. Orækja le frappa au visage. Le sang coula de la lèvre ouverte du jeune homme maigre aux cheveux châtains. Allaient-ils laisser ainsi cette grosse propriété qui se trouvait si près ? Alors que, sans coup férir, ils pouvaient faire une belle prise ? Était-ce vraiment ce que voulait Orækja ?

Ils avaient galopé toute la nuit afin de surprendre Kolbeinn. Ils n'avaient pas mangé de la journée. Les chevaux étaient épuisés et dégoulinants de sueur. L'envoyé avait changé trois fois de cheval pour les rattraper. Orækja contempla sa troupe. Ils attendaient l'ordre de passer à l'attaque. Orækja leva le bras. Le silence se fit. Les silhouettes des maisons basses se firent plus nettes dans l'aube grise. Il haussa le ton : « Nous attaquerons Thordr à la place. » Les hommes se dévisagèrent, incrédules. L'envoyé et les hommes d'Orækja se coupèrent la parole. Mais qu'est-ce que ça signifiait ? Orækja répéta son ordre et leur promit à manger avant que le soleil ne soit au milieu du ciel. À contrecœur, ils baissèrent leurs arcs et remontèrent à cheval.

Snorri secoua la tête, découragé. Il était profondément injuste que les gens de sa famille et des autres clans pensent qu'il avait demandé à son fils d'attaquer Thordr. Quelle absurdité ! Cela ne l'arrangeait aucunement. Il n'avait pas le moindre motif d'envoyer ainsi son fils. Si on l'avait interrogé sur ce point, il aurait prédit une catastrophe. Il songea à son frère. Le visage de Thordr était si petit que cela devait lui faire mal de sourire. Leurs rapports n'avaient jamais été cordiaux. S'il ne parvenait pas à décrire et expliquer cet incident, les Sturlungar seraient brouillés pendant des décennies.

« À l'attaque ! Mort à Thordr ! » avait crié Orækja. Sa voix s'était brisée. Tout le monde pouvait entendre que ses ordres manquaient de conviction. Quelques jours plus tard, Thordr réussissait à disperser la troupe d'Orækja. Il captura trente hommes, les désarma, prit leurs chevaux et leur fit assister à la pendaison de deux meneurs. Orækja et le reste de ses hommes furent mis en déroute.

Snorri retourna toute sa fureur contre son fils. Cela blessa Orækja. Avant que le soleil ne fût à son zénith, Orækja décida qu'il ferait tout pour plaire à son père. Il se dit qu'il serait bon d'être ami avec Sighvatr, son autre oncle. Sighvatr le repoussa brutalement et lui demanda de rester aux côtés de son père, qui se trouvait au sud, à Bessastadir. Orækja le prit au mot et fonça vers Bessastadir avec ce qui lui restait de sa troupe. Snorri crut que son fils venait pour le tuer, et il s'enfuit à Borgarfjord en toute hâte, afin de rassembler des hommes contre Orækja. Il fallut plusieurs jours à Snorri pour comprendre qu'il se trompait.

Pour avoir la paix avec Orækja, il lui avait donné le domaine de Stafaholt. Peut-être aurait-il un peu de tranquillité pour écrire ? Et Orækja, lui, parviendrait-il enfin à rester tranquille ? Sans consulter quiconque, Orækja repartit chez Sighvatr, au nord. Il considérait qu'il n'avait pas convenablement discuté avec son oncle. Sighvatr était dehors, sans arme, et s'entretenait avec le forgeron.

Sans que personne ne parvienne à prévenir Sighvatr, Orækja se plaça soudain derrière son dos. Orækja chuchota le nom de Sighvatr, qui acquiesça, parce qu'il croyait qu'il s'agissait d'un domestique venu l'embêter. Sighvatr était plongé dans sa conversation avec le forgeron, qui portait sur le nombre d'épées à forger. Cette affaire ne pouvait être réglée en un tournemain, il fallait discuter longueur, largeur et poignée. Sighvatr connaissait la question. Dans sa jeunesse, il avait travaillé six mois comme forgeron. Sans se retourner, il dit qu'il ne voulait pas être dérangé. Orækja répéta son nom. Le forgeron se retourna, devint livide. Sighvatr tourna la tête. Il porta la main à l'épée qui n'était pas là. Orækja sourit, non par méchanceté, mais parce qu'il pensait que cela mettrait son oncle de bonne humeur. Sighvatr se tapota la cuisse droite dès qu'il comprit qu'il n'avait pas son épée. Le forgeron souleva son marteau.

Orækja déclara qu'il était là pour se réconcilier avec son oncle. Sighvatr inspecta son neveu de la tête aux pieds. Cette brute imbécile se moquait-elle de lui ? Orækja portait une épée à la ceinture, mais il ne semblait pas vouloir la prendre. Il disait donc vrai ! Que pouvait-il inventer pour ne pas perdre la face ? Sighvatr acquiesça tandis que son neveu promettait paix et harmonie.

« Tais-toi, maintenant », dit l'oncle.

Sighvatr sortit de la forge, au milieu d'une des phrases emberlificotées d'Orækja. Quarante hommes de son neveu étaient assemblés dans la cour. Sighvatr les contempla. Ils étaient maigres et affamés. La plupart étaient des serfs. Sighvatr sourit à Orækja et écarta les bras. D'une voix joyeuse, il annonça qu'il invitait tout le monde à un grand festin.

« Dès que je vous ai vu, mon oncle, j'ai été certain que nous serions bien accueillis. C'est trop, mais merci quand même », dit Orækja.

On grilla de l'agneau qui fut préparé avec une sauce à la menthe, on apporta de la bière, du lard aux pommes, des baies et des fruits, on déposa du gâteau aux noix sur la table. Les hommes d'Orækja s'enivrèrent. Orækja lui-même se goinfra de tout ce qui était offert. Sighvatr ne cessait de lui demander s'il ne voulait pas se resservir. Sighvatr, lui, ne but que de l'eau. Alors qu'il observait la table du banquet, un homme sortit de l'obscurité. On aurait dit une ombre qui passait rapidement sur les murs, et il vint se placer sous le flambeau près de Sighvatr. Il se pencha et lui glissa quelques mots à l'oreille. Orækja ne le remarqua pas. Il se disait que Snorri apprécierait qu'il se réconcilie ainsi avec son oncle.

L'ennui, c'est que les imbéciles sont si crédules et

sûrs d'eux-mêmes, tandis que les sages sont rongés par le doute.

Au cours du repas, Orækja avait plusieurs fois demandé à son oncle s'ils ne pouvaient pas redevenir amis, comme au bon vieux temps. L'homme qui avait murmuré à l'oreille de Sighvatr était un envoyé de son fils Sturla, lequel se trouvait à deux heures de là avec une centaine d'hommes. Sturla revenait de pèlerinage à Rome, et il était rentré plus rapidement que prévu à cause de vents favorables dans la mer de Norvège. La porte fut ouverte avec fracas.

Sturla se plaça entre son père et son cousin Orækja. Il exigea qu'Orækja et ses hommes quittent le domaine.

« Maintenant ? Alors que l'on s'amuse tant ? » demanda Orækja.

Le silence se fit.

« Tu n'as donc rien à dire ? » demanda Orækja à son oncle.

Plusieurs hommes d'Orækja se levèrent, certains se mirent à courir et, finalement, Orækja sortit à son tour de la pièce, trempé de sueur, et se retrouva dans la nuit étoilée. Il sentit qu'on le mettait sur son cheval, il entendit un claquement derrière lui et il comprit, transi de froid, qu'il fonçait vers nulle part à toute allure.

Il s'écoula plusieurs jours avant qu'Orækja ne parvienne à rassembler ses hommes. Il prit la direction du nord, vers l'Isafjord, loin de son père et du reste de la famille. Pour obtenir de l'argent, il infligea de lourds impôts aux paysans. S'ils ne payaient pas, leurs fermes et leurs récoltes étaient brûlées. Peu de mois après, Snorri apprit que les paysans avaient l'intention de détruire les propriétés des Sturlungar dans tout le pays si les ravages de son fils ne cessaient pas. Après cela, Snorri se rendit compte qu'il ne maîtrisait plus son fils.

Il n'aurait pas été difficile d'ôter la vie à Orækja. N'importe qui s'en serait chargé avec joie, s'il n'avait pas été aussi imprévisible. Personne, sauf Arnbjørg, ne l'aurait pleuré. Un jour, Snorri lui avait demandé si elle aimait vraiment Orækja. Elle avait regardé Snorri droit dans les yeux et déclaré : « Ton époux tu honoreras ! » Cela sonnait comme un jugement auquel elle se pliait avec plaisir. En tout cas, Snorri était sûr d'une chose : il n'était pas en mesure de tuer lui-même Orækja.

Snorri décrivit un grand cercle autour du domaine. Il voulait surveiller Reykholt. Ils étaient arrivés à l'endroit où la Hvitá était la plus large, et Snorri était certain qu'Orækja se trouvait dans les parages. Sleipnir s'impatientait. Il voulait traverser la rivière. Snorri arrêta Sleipnir sur la rive, descendit prudemment de cheval, se déshabilla et remonta sur sa monture. Il tenait ses vêtements et son arc au-dessus de la tête. La ceinture avec son épée et son couteau était serrée autour de sa taille.

Au milieu de la rivière, Sleipnir nagea quelques mètres, il s'ébroua, sortit le cou de l'eau, avec la queue flottant derrière lui. Ils dérivèrent un peu dans le courant, Snorri était penché en avant et parlait doucement à l'oreille du cheval. Sleipnir retrouva la terre ferme sous ses pattes. Ils remontèrent le courant jusqu'à un banc de gravillons. Snorri ne trouva aucune trace de pas ni de sabots. Ils se retournèrent lorsqu'ils furent au sec. La sécheresse des derniers mois avait rendu la rivière moins agitée que d'habitude. Sleipnir se mit au galop après la rive pierreuse. Le cheval avançait dans l'éclat du soleil de l'après-midi, l'eau coulait de sa crinière.

C'est alors que Snorri aperçut des traces. Il fit réduire l'allure à son cheval. Ses sabots foulaient une herbe épaisse, une herbe de marécage. Au loin, il voyait la demi-lune qui se détachait dans le ciel. Il suivit les traces. Sleipnir ralentit encore. Snorri tenait bien les rênes, sur ses gardes. Ce devait être Oraekja. Il allait le surprendre. Il allait lui dire qu'il n'avait aucunement peur de lui. Il allait descendre de cheval et faire quelque chose qu'il n'avait pas fait depuis qu'Oraekja était un enfant: il allait lui donner une gifle.

Le feu venait d'être abandonné. Il y avait des traces de deux chevaux. Snorri inspecta le feu et piétina les tisons, il dénoua la longe de Sleipnir, remonta sur son dos et repartit. Au fil des ans, il lui était devenu plus difficile de se concentrer à sa table de travail. C'était sur le dos de Sleipnir qu'il réfléchissait le mieux. En cet instant, il n'avait jamais vu Oraekja aussi clairement.

Snorri regagna Reykholt du plus vite qu'il pût. En même temps, il parla à Sleipnir d'un ton familier, un peu à la manière dont il s'adressait à son épouse décédée lorsqu'il se rendait sur sa tombe. À voix basse, sur le ton de la confidence. Cela n'avait pas été facile de lui parler lorsqu'elle était encore en vie. Le sol résonnait sous les sabots, la crinière de Sleipnir ressemblait à des épis de blé dans la tempête, sa queue le fouettait comme le bouillonnement d'écume le plus déchaîné. Snorri lâcha la bride un instant et de sa main droite caressa la croupe de Sleipnir.

À l'étranger, on lui avait plusieurs fois proposé d'acheter un vrai pur-sang arabe. Ces chevaux étaient censés être plus grands, plus souples et plus vifs que les chevaux islandais. On disait que c'était à cause des pur-sang que les Croisés avaient été défaits. Mais il était convaincu qu'ils ne sauraient se mesurer aux chevaux islandais en termes de sens de l'orientation, d'endurance et d'épaisseur de la robe. Et comment ces chevaux aux pattes longues et fragiles s'en sortiraient-ils sur ce terrain ? Sleipnir était petit pour un islandais. Snorri le caressa et se pencha en avant. En tout cas, il n'avait pas l'intention de changer de cheval. Ça non.

Il passa la porte de Reykholt au grand galop. Il ne vit personne. L'intérieur de ses cuisses était ankylosé, le sang battait dans ses tempes. Son visage était rouge d'excitation. Les ombres glissaient sur la terre, sur les coups de vent qui tourbillonnaient autour de lui et de Sleipnir. À l'ouest, le soleil était rouge et lourd entre les bandes de nuages. Il s'arrêta net devant le bassin, descendit de cheval et cligna des yeux en direction des maisons derrière l'église en bois debout. Il chercha du regard son fils et, d'une certaine façon, fut soulagé de ne pas le voir.

Il était si fatigué qu'il tituba quelques mètres avant de parvenir à se tenir immobile. Sleipnir baissa la tête et renifla la surface de l'eau. Le cheval était sale et en sueur. L'arc du dos de Sleipnir n'était-il pas trop creusé ? Snorri regarda son ventre et ses pieds. Il n'était tout de même pas si lourd que ça ? Sleipnir avança d'un pas vers le bassin et s'arrêta. Puis il fit un geste inattendu. Il trempa le sabot droit dans l'eau chaude. Il le retira rapidement et resta là, comme si ce qu'il venait de faire ne s'était pas produit.

Snorri regarda dans le bassin. Une mite passa dans la lumière. Snorri l'attrapa entre le pouce et le majeur droits.

Il en fit de la poussière. Une vache mugit. Sleipnir ne bougeait pas. Snorri essayait de regarder droit devant lui sans paraître inquiet.

La décision de tuer Snorri fut prise après mûre réflexion. La manière dont cela devait être fait fut également arrêtée. Après que le grand costaud eut dit à Gyda qui l'employait, la rumeur se répandit à Reykholt. La plupart savaient ce qui allait se produire, mais ils ignoraient quand et comment. Le condamné, lui, ignorait ce qui l'attendait. La mission des deux hommes qui s'étaient approchés de lui était de le surveiller. Et d'essayer de lui faire peur, ou de l'attirer, de préférence seul, à l'extérieur des remparts. En outre, ils devaient l'humilier en tuant une des personnes qui lui étaient les plus chères. Le choix était donc limité. Mais l'assassinat de Snorri primait sur n'importe quel autre.

Combien de promenades à cheval son corps lourd et fatigué supporterait-il encore ? Snorri posa les yeux sur Sleipnir et imagina une chevauchée de plusieurs jours d'affilée dans tout le royaume qu'il considérait comme le sien. Son petit cheval avait reçu le nom d'une bête mythique, le fameux Sleipnir à huit pattes. Le plus fringant de tous les coursiers que montait Odin en personne. Snorri pouvait traverser en tous sens le sud-ouest de l'Islande, toutes les personnes qu'il croisait baissaient la tête devant lui. Il possédait la plupart des terres de la région.

Il se rendait souvent à Oddi et dans la région voisine, avec ses falaises abruptes battues par la houle incessante. Et la pointe de Dyrholaey, à l'extrême sud, était fort belle, à cent dix mètres au-dessus de la mer, avec ces nuées d'oiseaux bruyants, la vue sur les Vestmannaeyjar à l'ouest et le dôme du Myrdalsjökull au nord. Pourtant, ce n'était pas ce paysage qui l'intéressait le plus. Non, c'était à l'intérieur des terres, au milieu des glaciers, des volcans, des cratères, des geysers et des montagnes qu'il aimait aller à cheval.

Autour de lui c'était l'automne, cependant il songeait aux longues promenades qu'il allait faire avec Sleipnir en plein été, lorsque l'herbe aurait reverdi. Il allait revoir les pierres grises et noires, les montagnes qui trônaient au-dessus du sol agité, où les sources souterraines apparaissaient sous la forme de vapeurs chantantes, d'eaux bouillantes et de lave. Oui, il allait une fois encore monter Sleipnir et voir le mauvis qui nichait, l'huîtrier-pie, le grand gravelot, et peut-être apercevrait-il un cygne sur les eaux. Et avant que Reykholt ne disparaisse entièrement dans le lointain, ils auraient vu des guillemots, des étourneaux, des bécasses et un bécasseau solitaire. Ils suivraient les rives de la Hvitá, ils passeraient l'église de Sidumuli, ils iraient jusqu'à Barnafoss et jusqu'à Surtshellir, la longue trouée de sinistre mémoire. Non, peut-être n'iraient-ils pas jusque-là.

Ils s'avanceraient suffisamment loin dans la vallée de Reykholt pour voir le Langjökull et l'Eiriksjökull et, vers le sud, le glacier blanc de l'Ok. Il leur faudrait avancer quand le vent soufflerait du sud. Lorsqu'il venait du nord ou de l'est, il était tranchant comme la lame. Jon Loptsson disait toujours qu'il y avait deux choses qui caractérisaient l'Islande : il y avait toujours du vent, et ses habitants descendaient de rois, jamais de paysans. En faisant un détour et sous une brise légère, ils iraient à Thingvellir.

Sleipnir était près de la porte en bois du tunnel qui menait jusqu'à la maison principale. Combien de fois

Snorri n'avait-il pas loué l'existence de ce tunnel en hiver! Pendant les pires tempêtes de neige, il pouvait aller nu de la maison au bassin. Il regarda encore la porte sombre. Il l'avait fabriquée lui-même avec du bois flottant. Orækja s'était-il caché là? Snorri secoua la tête. Il y avait tout de même des limites à la peur.

Non, c'était décidé, il irait à cheval uniquement lorsque le vent serait doux et la pluie absente du ciel. Il irait sur les plaines de lave et les déserts de cendre, il ferait le tour des cratères des volcans. Mais il se tiendrait à l'écart de l'Hekla. Le vieux volcan n'était pas mort. La plupart des fermes ensevelies par la lave et la cendre, cent trente ans plus tôt, n'avaient jamais été retrouvées. Ils n'iraient pas davantage à Gullfoss, la chute d'eau au nom étincelant. L'arc-en-ciel naît à l'endroit exact où les eaux grises et blanches de la Hvitá tombent de la chute dans un bruit de tonnerre et lancent au vent des nuées d'écume. Là, ils feraient demi-tour et partiraient vers Borg, vers l'ancien domaine d'Egil Skallagrímsson, et vers le sien.

Dans le Sud-Ouest, dans toute la région de Reykjanes jusqu'à Bessastadir, ils passeraient entre les gros rocs projetés par les éruptions volcaniques qui avaient déchiré le sol. Quinze ans plus tôt, des centaines de ses vaches et de ses bœufs avaient disparu dans les entrailles de l'enfer. Il verrait Grindavik, là où les pêcheurs devaient se battre avec les mouettes pour débarquer le poisson. Ensuite, ils poursuivraient, vers le nord, jusqu'au Hvalfjord où l'on trouvait des carcasses de baleine sur la grève, au plus profond du fjord, là où le Glymur tombait en cascade. Et ils grimperaient le long de la rivière en regardant furtivement l'Esja, rouge avec son sommet aplati.

Enfant, on lui avait raconté l'histoire de la baleine qui

avait tué tous les fils du prêtre du Hvalfjord. Avec sa queue énorme, elle les avait balayés par-dessus bord alors qu'ils pêchaient en mer. Le lendemain, le prêtre était allé sur la plage et s'était mis à jouer de la flûte. Peu après, la baleine avait surgi. Les notes la firent nager en cercles toujours plus serrés et rapides. Le prêtre alla vers le Glymur sans cesser de jouer, la baleine le suivit. Il remonta la chute d'eau, jusqu'en haut du plateau. La baleine le suivit encore. Au sommet, totalement épuisée, la baleine se laissa choir dans les eaux que l'on appelle aujourd'hui le Hvalfjord. Snorri ne se lassait jamais de cette histoire. Était-ce parce qu'il aimait entendre que le gentil triomphait ? Non, il n'était pas aussi bête. Il ne savait pas pourquoi. Peut-être était-ce simplement l'idée d'une baleine qui remontait une chute d'eau.

En se rendant à Skálholt, ils passeraient à côté de la Faxi, avec l'Hekla à l'arrière-plan. Ce n'était pas la plus grande des cascades, mais il n'en connaissait pas de plus belle. Elle ressemblait à une crinière au vent.

Combien de temps avancerait-il avant qu'Orækja ne s'impose à son esprit ? Le sommet d'une montagne, la forme d'un rocher ou de la mousse sur une pierre viendraient, tôt ou tard, lui faire comparer les lignes de la nature au profil de son fils. Orækja était même capable de gâcher le paysage.

Ses jambes ne tremblaient plus. Snorri sentit qu'elles étaient plus gonflées que d'habitude. Cela lui arrivait désormais après être resté longtemps à cheval. Snorri demeura debout. Sleipnir était le plus fidèle de ses sujets. Il était suffisamment bas pour que Snorri puisse monter sans aide sur son dos. Résistant, obéissant, et avec sa fourrure épaisse, il faisait un compagnon sans égal, surtout en hiver. Avec Sleipnir, il pouvait parler de tout. Tout ce qu'il aurait tant aimé dire à ses enfants, il l'avait raconté à Sleipnir. Il lui avait parlé à voix basse ou enrouée, douce ou enflammée, et Sleipnir avait toujours redressé les oreilles.

Combien de fois n'avait-il pas essayé d'expliquer à ses enfants à quel point les sept grandes familles de l'île étaient sournoises. Et plus particulièrement les Svínfellingar, ces gens de petite taille qui possédaient tout du nord au sud-est. Mais il ne fallait pas oublier les Oddaverjar, qui traînaient avec leur nez de travers, et qui possédaient les terres au sud et à l'ouest du Vatnajökull. Certes, on pouvait toujours essayer de ménager ces deux familles-là, en revanche les Seldælingar, les Vatnsfirdingar, les Ásbirningar et les Haukdælir du Sud-Ouest étaient extrêmement dangereux. Ces familles avaient toutes en commun d'avoir le menton fragile et de grandes gueules. En outre, les Vatnsfirdingar étaient tellement radins qu'ils mélangeaient de la pisse de cheval à la bière qu'ils brassaient.

Et si jamais Gissur, le chef des Haukdælir, et Kolbeinn, le chef des Ásbirningar, venaient à s'allier ? Ce n'était pas pour rien que lui, Snorri, avait arrangé un mariage afin qu'ils soient liés. Toutes les autres familles avaient en tête de s'approprier les domaines des Sturlungar dans l'ouest de l'Islande, des parties du Vestfjord au nord-ouest, et d'autres terres au nord. Il fallait que ses enfants le comprennent. Et les autres Sturlungar étaient tout aussi cupides. Ses enfants disaient souvent qu'il exagérait. Il répondait alors que leur famille semblait peut-être inoffensive, mais qu'ils devaient se méfier des faiseurs d'intrigues et des opportunistes. L'Islande entière était semée de cratères invisibles où toute personne imprudente risquait de disparaître. Orækja était le seul de ses enfants qui l'écoutait. Mais il n'entendait rien !

Et que savaient donc les enfants de l'accumulation de biens ecclésiastiques qui avait commencé dès la création de l'évêché à Skálholt, en 1056 ? Cela remontait à peine à deux cents ans. Lorsqu'il leur expliquait que c'était capital pour eux, il avait l'impression qu'il aurait aussi bien pu s'adresser aux vaches et aux moutons. À partir de cette date, des églises avaient été édifiées dans tout le pays par les mêmes familles qui, jadis, construisaient des fermes et des sanctuaires païens. Et ceux qui possédaient ces sanctuaires possédaient désormais des églises. L'introduction de la dîme rendait ces sept familles plus riches que toutes les autres. Elles détenaient quasiment tout le pouvoir, comme les seigneurs féodaux d'Europe régissaient des régions entières.

Ses enfants avaient peut-être envie de se retrouver parmi les plus pauvres des paysans. Ou voulaient-ils tomber encore plus bas, parmi les vagabonds et les serfs ? Voulaient-ils être tués dans les ténèbres de Surtshellir, comme cela arrivait si souvent à ces gens ? Voulaient-ils payer la dîme, ou la percevoir ? Ils ne lui avaient jamais témoigné de gratitude pour leur avoir arrangé de bons mariages avec les autres familles. Sauf Orækja. Mais avec lui, c'était différent.

Il caressa le dos de Sleipnir. Combien de fois ses enfants ne lui avaient-ils pas lancé des regards lourds de reproches ? Aucun de ses enfants, ni personne d'autre, du reste, ne voyait la grandeur de Sleipnir. Ils croyaient que c'était là une trouvaille amusante, une astuce dont il faut s'attendre de la part d'un auteur de sagas, un homme qui fera dire à

Nikolas Sigurdsson, alors que celui-ci est éliminé par les Birkebeinar : « Mon bouclier me trahit. »

Son périple se terminerait à Thingvellir, le lieu de l'Althing où il avait rencontré Margrete pour la première fois. Là, dans cette faille étroite entre les montagnes qui possède le meilleur écho de l'Islande, là, il avait connu les grandes heures de sa vie, lorsqu'il disait le droit. Là, il hurlerait sa joie d'avoir pu, une fois encore, traverser ce pays qu'il adorait et qu'il ne quitterait plus jamais.

Sleipnir baissa la tête, ses lèvres effleurèrent les pierres humides autour du bassin. Snorri lui caressa doucement le bout du nez sans le regarder.

Il jeta un coup d'œil vers la remise à outils. Il ne voyait rien de suspect.

Un cavalier venait du nord, à vive allure. Il éperonnait son cheval qui n'était pas en état de galoper plus vite. Il apercevait les remparts de Reykholt droit devant lui. Il avait participé à leur construction, avec de la terre, des pierres et des épaves de bois. La porte Nord était ouverte. Il se réjouissait de revoir son père. Orækja allait lui demander comment il se portait. Et il se réjouissait aussi de lui raconter l'excitation ressentie à la chasse au faucon. Il conservait ses proies dans le panier, derrière lui, sur le cheval.

À quelques lieues de là, Margrete alla à l'écurie pour s'assurer que les trois chevaux qu'elle prendrait pour aller à Reykholt le lendemain étaient toujours bien prêts. Elle songea aux grands yeux de Snorri. Elle lui avait dit qu'ils étaient beaux et mélancoliques.

Le roi de Norvège se trouvait à Nidaros, où il inspectait la construction de la Kristkirken. Il déclara à sa suite de trois hommes que Snorri l'avait trahi une fois de trop, et qu'il attendait un message d'Islande.

Il n'était pas difficile d'entendre qu'un cheval s'approchait. Snorri cessa de regarder la remise à outils. Ses bras et ses jambes devenaient gourds. La peur envahit ses traits.

« Père, dit Orækja, je passais dans les parages.

– J'ai pensé à toi, dit Snorri à voix basse.

– C'est gentil », dit Orækja avec gratitude. Il soupira. « Est-ce que je pourrais rester ici quelques jours ?

– Pourquoi es-tu venu ?

– Je chasse au faucon.

– Étais-tu dans le domaine ces derniers jours sans que je le sache ?

– Je n'ai pas l'habitude de me faire si petit. »

Il essaya de sourire. En voyant le visage impassible de son père, il prit une mine sérieuse.

« Si j'avais été dans le coin, tu l'aurais su. En tout cas, c'est ce que tu as toujours dit.

– Tu n'as jamais pratiqué la chasse au faucon. Cela ne sied pas à un homme de ton rang.

– Arnbjørg trouve que c'est bon pour moi. Elle dit que je devrais rester à l'écart des gens le plus possible. As-tu idée combien coûte un faucon de chasse ? À Paris, à Rome et à Londres, il y a des gens particulièrement intéressés par nos faucons.

– J'aimerais surtout que tu quittes Reykholt. »

Snorri baissa les yeux en disant ces mots. Il fit quelques pas vers Sleipnir, lui tapota le dos, se retourna et regarda son fils. Orækja était bien plus mince et fort que lui. Il portait une hache et une épée à la ceinture. Il avait les cheveux mi-longs, des yeux gris-bleu et des pommettes proéminentes. Quand il parlait, Orækja ne cessait de passer l'index et le majeur sur l'arête de son nez, puis il s'éclaircissait la gorge. Snorri remarqua qu'il s'était rasé la barbe.

« Tu n'as encore jamais déclaré que je n'étais pas ton fils. »

Orækja dévisagea son père. Snorri détourna le regarda.

« Te rappelles-tu notre dernière rencontre à Saudafjell, chez Tumi, avec Sturla ? Tu es bien heureux d'avoir des neveux comme Tumi et Sturla, n'est-ce pas ? »

Snorri écarta les cheveux de son front et regarda son fils. Orækja attendait les paroles de son père. Celui-ci ne dit rien.

« Tu étais content, pas vrai ? Il y avait bien à manger, et bien à boire.

– Et nous avons parlé de la lettre de Kolbeinn, dit Snorri à voix basse.

– Et tu m'as reproché d'être un imbécile naïf. As-tu jamais été content de moi ? Tu as dit que je me suis laissé abuser parce que Kolbeinn est le frère d'Arnbjørg. Mais c'est toi qui as arrangé ce mariage. »

Snorri n'avait jamais entendu son fils s'exprimer aussi clairement et aussi vivement. Il jeta un coup d'œil sur des troncs d'arbre lisses, du bois flottant que Kyrre avait ramené de Bessastadir. Devait-il appeler à l'aide ? Mais pouvait-il être sûr que quelqu'un viendrait ? Qu'allait-il faire si Orækja levait l'épée sur lui ? Snorri resta silencieux. Orækja l'observa, pour voir s'il allait dire un mot.

Orækja fit volter son cheval et repartit par où il était venu. Ses yeux étaient humides. Snorri haussa les épaules. Il resta immobile. Il se retourna, appela son fils. Trop tard. Snorri sentit son cœur battre. Mais qu'avait-il fait ? Il avait demandé à Orækja de disparaître. Son propre fils, l'homme qui était le plus qualifié pour défendre le domaine ! Le vieil homme leva les bras au ciel, comme deux mâts qui attendent en vain une voile.

Quelques jours plus tard, Orækja pleurait sur le corps de son père. Il demanda aux gens de Reykholt pourquoi personne ne l'avait défendu. Il se lamenta en disant qu'il était absurde que Snorri périsse ainsi, lui qui n'avait jamais menacé quiconque de la pointe d'une épée ou d'un couteau.

Snorri frissonna. Il commençait à se demander qui avait envoyé son fils. Il donna un coup de pied dans un caillou qui atterrit dans le bassin. Le soleil se couchait et emportait une part de lui-même qu'il ne comprenait pas tout à fait.

Snorri conduisit Sleipnir à l'écurie. Puis il rentra. Devant l'âtre aux flammes dansantes, il enfila sa chemise de nuit.

C'était la dernière fois que le père et le fils se voyaient.

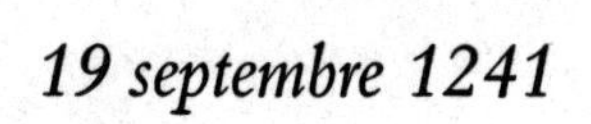

19 septembre 1241

Il n'était pas possible de trouver la plus infime trace de souci sur les traits de Snorri. Nul n'aurait pu voir ne fût-ce qu'un soupçon ou une marque de douleur rider son grand visage. Il se frotta le front et les joues. Il avait bien dormi. Et il avait pris une décision. C'était son jour, et celui de Margrete. Personne ne viendrait les perturber. Il s'assit dans le lit, cligna des yeux deux fois pour s'assurer qu'il était bien réveillé, il jeta un coup d'œil dehors et sourit en songeant à ce que la journée lui réservait. Au loin, les nuages disparaissaient avec la nuit.

Beaucoup de gens deviennent plus modestes et humbles avec l'âge. Plus ils vivent vieux, moins leur vie leur semble avoir d'importance. Snorri n'était pas de ceux-là.

Alors qu'il lui restait quatre jours à vivre, Snorri allait connaître, ce jour-là, la plus belle forme d'orgueil. Il l'appelait l'amour. C'était seulement à la fin de ses jours qu'il s'abandonnait volontiers à cette folie. Il avait consacré la majeure partie de son temps à ses ennemis.

Après avoir rencontré plusieurs fois Margrete, il avait compris qu'elle lui plaisait. Plus que ça. Il lui avait dit qu'elle était belle et qu'elle semblait intelligente. Oui, il s'était exprimé en ces termes si maladroits. Elle, en revanche, avait apprécié ces mots et les portait comme une jolie robe brodée. Snorri veillait à être concret et à utiliser des mots qu'il pouvait défendre. Margrete lui demandait toujours si c'était vrai. Lorsqu'il avait répété ce qu'elle venait d'entendre, elle avait posé les bras autour du cou de Snorri, rejeté la tête en arrière et éclaté d'un rire ravi. Le décolleté et la taille serrée de sa robe mettaient son corps en valeur. Elle attirait aussi les regards avides des autres hommes.

Le visage ovale, les grands yeux verts, le nez droit et les lèvres étroites montraient un chagrin évident. Précisément parce qu'elle avait l'expérience d'aimer les hommes, Margrete pouvait leur adresser un regard aussi éloquent. La simple vue d'un homme adulte suffisait à la titiller. Non pas qu'elle fût légère, mais la vue d'un homme lui causait un trouble agaçant qu'elle ne savait expliquer. Elle devenait la proie de la passion. Cela commençait souvent sous forme de compassion, dans ce cas pour un homme âgé et jadis puissant, cela se muait en secrets interdits avant de finir en un jeu difficile entre péché et remords. Dans ce conflit entre ravissement et larmes, fidélité et repentir, une peine toujours plus grande venait à l'envahir. Elle pensait à Egil Halsteinson, son mari, et à ses enfants. Quand elle se sentait au comble du désarroi, elle débordait de sentiments vertueux. Cela lui conférait un charisme particulier aux yeux de Snorri. Chaque fois que Margrete essayait de mentionner ses problèmes avec Egil, ce gros paysan renfermé et laid, Snorri disait qu'ils devaient utiliser le temps dont ils disposaient pour eux-mêmes, et non le gâcher à parler d'Egil.

Snorri avait posé ses plus beaux habits sur le banc à côté de son lit. Cela faisait presque deux mois qu'il ne s'était donné la peine de s'habiller aussi bien. La dernière fois, c'était pour l'enterrement d'Hallveig. Mais là, il voulait se vêtir pour la fête, l'amour, le désir et la séduction. Cela faisait six ans que Margrete avait fait irruption dans son esprit, avant d'en occuper le moindre recoin. Il l'aimait, et il n'en avait pas honte. Hallveig en avait eu conscience. À certains moments, Egil haïssait Snorri. Mais se séparer de Margrete, ou la blesser, était impensable, car Egil l'aimait sincèrement et profondément. L'idée même de ne plus l'avoir à ses côtés, et de ne plus bénéficier de ce qui va normalement de pair avec les liens du mariage, le paralysait et le terrifiait. Non. Egil laissait Margrete retrouver Snorri. Tant que leur liaison n'était pas connue de tous, il laissait faire. Après tout, il était celui qui la voyait le plus.

La famille de Margrete méprisait Snorri et le reste des Sturlungar. En ce qui concernait Snorri, une aventure de plus ou de moins ne changerait pas grand-chose à une réputation déjà quelque peu entachée. Mais sa liaison avec Margrete lui causait une inquiétude qu'il n'avait jamais éprouvée.

Snorri chassa de ses yeux les ultimes restes du sommeil. Le soleil était levé. Ce n'était pas le temps qui l'avait fait sourire. Margrete allait enfin venir. Aujourd'hui. Margrete avait eu des doutes, elle se demandait s'ils devaient se voir si peu de temps après la mort d'Hallveig. Hallveig avait été très aimée par presque tous les gens de Reykholt. Quand Margrete avait objecté que certains trouveraient peut-être scandaleux qu'elle vienne ainsi à Reykholt, Snorri l'avait serrée dans ses bras et lui avait dit de ne pas s'en faire. Tout de même, le domaine lui appartenait. Il fallait qu'il voie Margrete. Il ne pouvait pas quitter le domaine, car il craignait qu'Orækja ne vienne tout démolir. Non, il était obligé de rester à Reykholt. Margrete devait bien le comprendre. Et, pour finir, elle avait promis de venir.

Il enfila un élégant pantalon noir en lin. Puis il se pencha pour prendre sa chemise sur le banc. Il ne l'avait encore jamais portée. En lin blanc, il l'avait achetée à un marchand du sud de la Suède. Le pantalon, cousu à Reykholt et porté seulement de rares fois, lui allait à la perfection. La ceinture en cuir avait une boucle en argent. Normalement, il aurait porté une tunique, mais pas aujourd'hui. Aujourd'hui, c'était le jour de la belle chemise. Il la passa avec précaution. Un bouton brillait. Il se tourna vers la porte. Un rayon de soleil mat et jaunâtre se reflétait dans le bouton et le fit cligner des yeux. À l'origine, une perle faisait office de bouton, mais il l'avait remplacée par un morceau d'ambre. Les bras de la chemise étaient amples, avec une bande rouge.

Même s'il avait eu un sommeil lourd et paisible cette nuit, ses cheveux étaient tout sauf bien peignés. Cependant, il était content de s'être coupé la barbe et les cheveux la veille au soir. À vrai dire, le pantalon, les chaussures qui se laçaient aux chevilles, la chemise, la ceinture et son bouton raffiné étaient plus que suffisants pour dire qu'il était bien mis. Oui, c'était même peut-être trop. Mais était-il étrange de vouloir porter ses plus beaux habits lorsque le ciel était bleu et lavé de ses nuages ? Il avait savouré le plus profond des mystères : pouvoir être aimé.

La cape était encore posée sur le banc. Il la prit, l'observa longuement et la retourna afin de s'assurer qu'elle était toujours aussi belle, car elle avait été remisée. La cape était en laine épaisse, d'un rouge vif. Trois fils d'or étaient brodés dans le dos pour former un motif ondoyant. Il s'en drapa avant de l'attacher avec une agrafe, sur l'épaule droite, afin de laisser libre le bras qui maniait l'épée. L'agrafe était une broche à trois têtes d'or. Il passa les bras dans son dos afin de redresser la cape. Il ne manquait plus qu'une chose. Le chapeau en cuir à larges bords ne lui aurait-il pas convenu ? Mais, d'abord, il ne devait pas oublier le bracelet en or. Il l'avait caché sous son oreiller. Était-ce pour cela qu'il avait si bien dormi cette nuit ? Lorsque le seigneur de Reykholt devait en imposer, il portait toujours son bracelet au poignet droit. Il le mit immédiatement. Le motif était un serpent qui se mord la queue. Il se peigna lentement avant de brosser sa barbe tout aussi soigneusement. Ses cheveux et sa barbe avaient beaucoup grisonné au cours de l'année passée.

C'était Hallveig qui lui avait offert le chapeau. Cependant, il pourrait dire à Margrete qu'il l'avait acheté en Norvège. Hallveig l'avait acheté à un marchand de Brême. Mais, depuis ce jour, il n'en avait jamais couvert son chef. Lorsque Hallveig lui avait demandé pourquoi il ne le portait pas, il avait répondu qu'il était trop beau. En Islande, les hommes ne portaient pas de chapeau. Il n'était pas un crâneur. Mais, ce jour-là, il essaya le chapeau et se mira dans le chaudron, après s'être accroupi. Il l'essaya en le posant sur sa grosse tête, sous des angles et des côtés différents. Il se releva, fit quelques pas, revint s'accroupir face à la marmite, rajusta le chapeau de cuir, se redressa, arpenta la pièce et se regarda une fois encore. Soudain, il jeta le chapeau à terre et cria : « Jamais ! »

Au bout d'un moment, il ramassa le chapeau bosselé. Il le remit en forme et le posa doucement sur sa tête. Il resta au milieu de la pièce, sans se regarder dans le chaudron. Il réfléchit. Tout en sentant le poids du couvre-chef, il se parla sérieusement à lui-même, il fit de petits gestes avec les bras et désigna sa tête. Ses traits étaient doux, amicaux et ouverts. Quelques instants plus tard, des mots incompréhensibles lui vinrent aux lèvres. Snorri préparait chaque phrase avant de recevoir la femme qu'il aimait dans sa propre demeure.

Margrete avait la moitié de son âge, trente et un ans. Les longs cheveux blonds, les grands yeux verts sous les longs sourcils sombres, les taches de rousseur, la petite cicatrice sous la lèvre inférieure, et aussi le rire et la voix ne manquaient pas de lui rappeler une autre femme qu'il croyait avoir aimée : la mère d'Orækja. Snorri n'avait jamais dit un mot à Margrete de cette ressemblance frappante. Elle ne portait pas seulement sur l'allure, mais aussi sur l'esprit. Il avait gardé secrètes ces deux liaisons. Il savait qu'elles pouvaient être fatales.

Il arpenta la pièce, allant du lit à la cheminée, de la table à la porte, de la fenêtre au lit réservé aux hôtes, du métier à tisser au petit placard où il gardait du pain et du lait. Il ne voulait rien d'autre à manger. Cela faisait deux jours que Gyda lui avait apporté quelque chose de chaud. Il lui avait déclaré qu'il ne voulait pas être dérangé. Elle avait fait une révérence et s'apprêtait à quitter la pièce, quand, en voyant la plume sur la table, elle s'était surprise à lui demander s'il allait écrire. Il avait fait comme s'il ne comprenait pas la question et lui avait fait signe de sortir.

Snorri allait sans heurt entre les objets de la grande salle. Il se parlait à lui-même. Sans grands gestes ni grands mots, mais à voix basse. Il pesait chaque parole, même si elles ne quittaient pas sa bouche. Ses pas paisibles ne suivaient pas un tracé précis, ni le moindre plan. Chaque fois qu'il s'approchait d'un objet ou d'un meuble, il l'évitait d'assez loin. Une seule fois, il posa la main droite sur la table, avec la gauche il salua du chapeau et s'adressa à la pièce en souriant. Ses cent pas sans dessein s'arrêtèrent soudain. Il resta immobile, les bras ballants. D'une voix claire, il se demanda s'il devait sortir.

« Il fait beau. Mais ce n'est pas l'essentiel. Mes vêtements ont peut-être meilleure allure à l'intérieur ? Non, au contraire, c'est dehors qu'ils donnent toute leur mesure. »

Il contempla la prairie. N'y avait-il donc personne pour chasser les moutons ? N'y avait-il donc personne pour intervenir si jamais les moutons trouvaient où était caché le fourrage d'hiver ? Ce qui restait d'herbe fraîche serait bientôt mangé. Les moutons. Il en avait eu tellement. Et combien d'argent n'avait-il pas gagné en vendant de la bure en Norvège et sur le continent. Mais depuis que l'on avait commencé à teindre la laine en France et en Hollande, il avait été obligé de réduire son troupeau. Les bœufs et les vaches occupaient de plus en plus le paysage autour de Reykholt.

« Je ne peux pas sortir avec ces habits. Il n'en est pas question. »

Mais peut-être devait-il sortir, malgré tout ? N'aurait-il pas l'air étrange ? Étrange ? Non, insensé ! D'un autre côté, ce serait faire honneur à Margrete. Un honneur mérité. Un grand honneur !

Une interrogation se lut dans ses yeux. Il resta encore les bras ballants, puis il leva le bras droit, lentement, et porta une main hésitante à sa tête. Son majeur buta contre le chapeau.

« Et si elle ne venait pas ? »

Pour la deuxième fois, il ôta brusquement son chapeau, le lança à toute volée et, d'un coup de pied, le propulsa sous le lit.

Snorri n'avait jamais rencontré une femme plus compréhensive que Margrete. Elle se moquait des ragots qui avaient couru à propos de sa précédente liaison avec Solveig. Cela ne l'en rendait pas moins épris. Et peut-être Margrete l'aimait-elle vraiment ? Même après que Snorri eut épousé Hallveig, Solveig et Snorri étaient restés plus que bons amis. C'était le partage de l'héritage laissé à la mort du père de Solveig qui les avait réunis. Le père de Solveig, Sæmundr Jonsson, d'Oddi, ne s'était jamais marié, ce qui ne l'avait pas empêché d'avoir cinq enfants. Juste avant sa mort, il avait décidé que sa fille devait hériter exactement autant que ses quatre fils. Snorri devait se charger de la succession. Snorri était passé prendre Solveig chez la mère de celle-ci, à Keldur. Il avait une escorte considérable. Solveig était belle. Snorri dit à la mère de Solveig qu'elle n'avait pas besoin de les accompagner à Oddi, où le partage serait effectué. Il veillerait à ce que Solveig revienne saine et sauve, avec sa part d'héritage légitime, et peut-être un peu plus.

Snorri chevauchait en tête, avec Solveig. Il demanda à sa troupe de rester à une longueur derrière eux. Ils devisèrent aisément. Même s'ils manifestèrent certains désaccords au cours du trajet qui les menait de Keldur à Oddi, leurs divergences s'estompaient à chaque fois dans le rire et la bonne humeur, et dans le plaisir de voir qu'ils s'entendaient et se comprenaient si bien. Ils échangeaient des regards chargés de sourires, qui leur plaisaient à tous les deux.

Au bout d'une demi-journée, Snorri et Solveig aperçurent une femme qui arrivait en sens inverse. Son escorte se réduisait à un seul homme. De loin, Snorri et Solveig se demandèrent, en souriant, ce que cette pauvre femme avait donc en tête. Lorsque leurs chevaux se croisèrent, ils virent qui était cette femme. Elle avait noué sur sa tête les pans de sa cape. Sans un sourire, sans un mot, elle passa entre Snorri et Solveig. Elle ne leur adressa même pas un signe de la tête. Snorri déclara à haute voix :

« Bien le bonjour. »

Solveig ne dit pas un mot avant que la femme ne se soit éloignée. Elle connaissait bien son identité. Snorri et Solveig se retournèrent. Ils observèrent la femme et son escorte muette, qui ne se retournait pas, elle, et continuait d'avancer avec majesté. Son escorte était un homme de presque quatre-vingts ans qui se tenait raide sur sa monture. Solveig se mit à pouffer de rire. « Ridicule », dit Snorri, et ils éclatèrent de rire.

La femme qu'ils venaient de croiser n'était ni laide ni belle. C'était la veuve de Bjørn Thorvaldsson. C'était aussi la femme la plus riche d'Islande, Hallveig Ormsdottir. Quelques années plus tard, Snorri la demandait en mariage. La position et la richesse d'Hallveig suscitèrent chez Snorri des sentiments plus forts que ceux que Solveig était capable d'éveiller en lui. Même si Snorri était attiré par Solveig, ce n'était rien comparé à ce qu'il éprouvait pour Margrete. C'était là une obsession dont il ne devait jamais se défaire. Elle était la seule à le toucher et l'émouvoir, au point qu'il croyait ainsi tenir fermement un instant des jours et des ans qu'il lui restait à vivre.

Il fit les cent pas dans la grande salle, aussi dénué de but qu'une mouche dans une cruche. Margrete dominait totalement ses pensées. Après chaque pas, il dressait l'oreille, espérant l'entendre. Il fallait qu'elle arrive !

Les oreilles de Snorri étaient fort grosses, charnues, en particulier les lobes. Son ouïe était encore bonne. Il le rappelait souvent, et ajoutait que ceux qui cherchaient à médire de lui devaient murmurer si doucement que seule une mouche les entendrait. Et là, ne venait-il pas d'entendre Margrete ?

Il passa vivement les mains sur sa cape et son pantalon, comme pour s'assurer que tout était bien à sa place, il effleura encore une fois le bouton d'ambre, et se précipita vers la porte. C'était Margrete, ce devait être elle. Les semelles de ses chaussures en veau étaient lisses, mais il avançait à pas résolus. Il ne risquait pas de tomber. Son poids reposait sur sa jambe gauche, sa cuisse était tendue. Il n'y pensait pas. De la main droite, il ouvrit la porte brusquement. L'odeur d'herbe lui sauta aux narines. L'air n'était pas chaud, mais agréable. Ainsi, dans ses plus beaux habits, il tint la poignée de la porte dans la main droite et leva la gauche pour faire un salut, doigts tendus. Le cheval se cabra, hennit, frappa le sol de ses pattes avant, secoua sa crinière, montra les dents, il leva et baissa la tête en écarquillant les yeux. Snorri chercha frénétiquement du regard la cavalière. Où était-elle ? Il avança de deux pas. Était-elle tombée ?

Le cheval était brun avec des taches blanches. Il se cabra à nouveau, ses pattes arrière, tremblantes, étaient fortes. Il agita les pattes avant en direction de Snorri, qui s'écarta d'un pas sur le côté. Les yeux de Snorri fouillaient le long du mur de la maison. Le cheval se cabra pour la troisième fois. Était-elle tombée de sa monture ? Il s'avança, il cria le nom de Margrete. Le cheval hennit mais, à part cela, le silence régnait. Il ne connaissait pas ce cheval. Pourquoi était-il aussi effrayé ? Il le calma de la voix. Le cheval se mit à courir en cercles, il hennit puis disparut. Mais pourquoi personne n'était donc sorti pour s'occuper du cheval ? Il cria le nom de Margrete une nouvelle fois. Il contempla ses vêtements. Mais que portait-il ? Il regarda autour de lui. Il n'y avait toujours personne. Il retourna rapidement à la porte ouverte et la referma violemment derrière lui. Il tapa du pied, jura et pesta. Au bout d'une minute, il s'assit sur le banc.

Qu'il pût être aimé d'une femme comme Margrete paraissait impensable. Le pacte passé avec Hallveig avait d'abord été de nature économique, par intérêt réciproque. Puis ils avaient commencé à se respecter mutuellement. Mais s'agissait-il d'amour ? Non.

Lorsque Margrete lui avait révélé ce qu'elle éprouvait à son égard, il lui avait rappelé qu'elle était mariée. Elle lui demanda s'il s'imaginait combien de fois elle s'était dit la même chose au cours des derniers mois. Assez vulgairement, il lui avait demandé si elle en avait après son argent, son pouvoir et ses biens. Elle n'avait pas baissé les yeux, elle ne s'était pas mise à pleurer, non, elle avait écarté les cheveux devant ses yeux et répondu qu'elle possédait assez de biens et d'or. Elle l'aimait ! Il resta planté là. Il ne la toucha pas.

Il finit par dire qu'il ne pouvait la croire. Pouvait-elle vraiment être amoureuse d'un homme de son âge, surtout avec l'apparence qui était la sienne ? Comment serait-elle attirée par cette tête bien en chair, ce nez busqué, ce menton menu que l'on devinait sous la barbe, ce corps bien trop gros, ces doigts épais qui détonnaient avec les mains si fines, ce crâne qui commençait à se dégarnir, ces cheveux ébouriffés, sans oublier la lenteur avec laquelle il parlait ? Elle garda le silence pendant qu'il s'exprimait. Elle le dévisagea. Il était sérieux, oui, il pensait ce qu'il venait de dire. Elle n'ajouta toujours rien. Avait-il peur de l'amour qu'elle lui portait ? Parce qu'il savait qu'il ne serait jamais en mesure de le payer de retour ? Il se fit de plus en plus loquace et lui rappela qu'il était un homme âgé, qu'il n'allait cesser d'avoir de plus en plus de rides et qu'il détestait sa propre vieillesse. Elle inspira si fort qu'il l'entendit, et, du coup, il s'arrêta de parler. Le regard de Margrete était toujours plongé dans le sien. Il ajouta cependant qu'il parlait trop. Elle baissa les yeux et sourit. Puis le ciel s'ouvrit. Elle leva ses cils noirs et ses yeux verts, et leurs regards se croisèrent.

Elle dit qu'une des choses qui avaient en premier lieu éveillé sa curiosité, c'était la manière dont il s'exprimait et, peut-être, ses connaissances, son savoir.

Il se retourna et indiqua qu'il avait autre chose à faire. Les jours suivants, il avait commencé à se demander pourquoi il n'arrivait pas à chasser Margrete de son esprit.

Lorsqu'il la revit, tout le monde savait qu'il venait de passer un accord commercial important avec Gunnar Halldorsson. Elle lui dit qu'il devait le dénoncer immédiatement. Pour elle et son mari, Gunnar était un escroc.

« C'est un voleur. Et ceux qu'il a trompés vont incendier tout ce qu'il possède d'ici demain. Tu n'auras jamais les morues que tu as payées. Demande à récupérer ton argent ! Est-ce que l'argent n'a aucune importance pour toi ? »

Elle baissa les yeux. Même pendant cette rencontre, Snorri fit comme si Margrete ne faisait aucun effet sur lui. Dès qu'elle eut disparu, il se rendit chez Gunnar à bride abattue et récupéra son argent. Gunnar lui demanda pourquoi il voulait annuler l'accord qu'ils avaient fêté. Ce n'était sûrement pas trop cher ? Snorri hocha la tête. Il avait changé d'avis. Était-ce parce qu'il avait demandé que l'argent soit versé d'avance ? Non, c'était simplement qu'il n'avait plus besoin des morues. Snorri s'était efforcé de paraître aussi persuasif que possible.

Le soir même, la maison et la réserve de poissons de Gunnar brûlèrent de fond en comble. Ce soir-là se produisit ce que le marchand ambitieux avait craint plus que tout. Il avait été le témoin du gros incendie des pêcheries de Vågan, dans les Lofoten. Le lendemain, Snorri inspecta le site. Les restes carbonisés de Gunnar ne furent pas difficiles à trouver sous la fumée. Son poing noirci était serré. D'après les personnes avec qui Snorri s'entretint, il avait cogné contre la porte dans une ultime tentative de s'échapper. Snorri attendit la fin de l'après-midi pour repartir. Il était pensif, et descendit jusqu'à la plage. Il s'avança pieds nus dans l'eau froide et vit les vagues se retirer de la rive. La mer attaquait la ligne fuyante de la côte, l'eau s'enfonçait dans le sable et y laissait des empreintes de temps et de regrets. Mais où la mer allait-elle donc ?

« Retrouver son amant », murmura-t-il.

Lorsqu'il revit Margrete à l'Althing, il lui demanda comment elle avait pu savoir ce qui allait arriver à Gunnar Halldorsson. Il lui demanda aussi si elle savait qui avait allumé l'incendie. Insinuait-il qu'elle était de mèche avec les incendiaires ? Elle se mit à pleurer. Ils se faisaient face, chacun sur son cheval. Dès qu'il vit les larmes de Margrete, il descendit de Sleipnir, s'approcha d'elle et lui demanda pardon. Il aurait tant aimé lui caresser la joue. Il dut se contenter de passer la main sur le bas de sa robe et de donner une tape à son cheval. Son regard allait sans cesse de Margrete à son époux, qui n'était pas loin. Même si, à vrai dire, il n'avait plus rien à faire à l'Althing, il y resta une journée de plus pour avoir l'occasion de la consoler une fois encore. Hors de la vue de son mari, il la serra dans ses bras, la caressa à tous les endroits où sa peau était visible, et il l'embrassa. Elle se laissa faire.

Il faisait les cent pas dans la salle des banquets. Le soleil avait passé son zénith. Margrete aurait déjà dû être là. Il jeta un coup d'œil par la fenêtre, et ne vit personne. Il ouvrit la porte. Le silence régnait. Il s'accroupit afin d'entendre le bruit de sabots au galop. Et si elle avait eu un accident ? Il sortit en courant sur le terrain devant la maison. Il se moquait que les gens de Reykholt risquent de le voir ainsi. Il était habillé comme s'il était prêt pour ses noces. Prêt à accueillir celle qu'il aimait. Il se souciait peu de ce qu'allaient dire sa famille et les gens du domaine. Il la voulait. Elle, et nulle autre.

« Margrete ! »

Où était-elle ? Il était sûrement arrivé quelque chose. Mais rien ne les arrêterait. Il fallait qu'elle vienne chez lui, même si c'était la dernière fois. Il serra les poings à en faire blanchir les jointures. Ses poings tremblaient, ses ongles s'enfonçaient dans la paume de ses mains et le faisaient frissonner jusqu'au coude. Il cria le nom de Margrete, scruta autour de lui. Il lui importait peu que les gens regardent dans sa direction. Une seule pensée occupait son esprit, que ses cris fassent surgir la silhouette splendide de Margrete, à cheval, en route vers lui. Rien ne se passa. Et si elle ne venait pas ? Et si son mari l'en avait empêchée ?

Si tous les mots de la Création lui avaient permis d'expliquer comment et pourquoi il l'aimait, il ne l'aurait pas aimée. Si, en cet instant, on lui avait offert une fortune, celle-ci n'aurait pu se mesurer à la présence de Margrete.

Rien n'aurait pu la remplacer. En comparaison, tout n'aurait été que cendres. Et cela, il ne l'avait jamais éprouvé. Sa rapacité, son avidité et toutes ses ambitions se résumaient en un seul désir : la revoir.

Une fois, elle lui avait demandé s'il était jaloux. Il avait supposé que sa question était liée à l'incident pénible avec Knut Storskald, « le Grand Scalde ». Il avait essayé de se montrer honnête, il avait dit que Knut était un bel homme avec une belle chevelure, et que cela le rendait envieux. Elle lui avait demandé si sa jalousie ne trouvait pas plutôt sa cause dans le fait qu'il avait cessé d'écrire de la poésie, tandis que Knut, lui, continuait. Ce n'était pas entièrement faux, mais il avait secoué la tête. L'année précédente, à l'Althing, il avait trop bu. Margrete et Snorri avaient discuté avec Knut, au marché. Knut avait transmis à Snorri les salutations de son parent, le duc Skule. Margrete avait félicité Knut pour les poèmes qu'il avait lus plus tôt dans la journée.

La chance existe, sinon il est impossible d'expliquer les réussites de ses ennemis.

Le regard de Margrete se porta sur deux paysans qui se disputaient à propos du prix d'une vache. Un mot en entraînait un autre, les jurons et les serments volaient dans les airs. Snorri, lui, ne quittait pas Knut des yeux. Knut lui fit une grimace et se mit à imiter la manière dont Snorri marchait, sa démarche lourde, un peu maladroite et hésitante. Là, il se produisit quelque chose que Snorri ne parvint jamais à expliquer. Il s'avança brusquement de deux pas et donna un coup de pied à Knut, qui se mit à crier et tomba par terre, se tenant la cuisse droite.

« Mais qu'est-ce qui te prend ? s'écria Margrete.

– Il s'est moqué de moi », répondit-il doucement. Elle

secoua la tête et se détourna, visiblement consternée, avant d'aider Knut à se remettre sur ses jambes et de lui présenter des excuses. Snorri sentit des picotements dans les joues. Ce poseur avait eu le culot de le regarder avec des yeux ronds, sans la moindre gêne, et maintenant, comme si cela ne suffisait pas, il souriait.

Cette fois-ci, Snorri tapa plus fort. Mais il n'avait pas prévu que la force du coup décoché par le pied droit n'était pas adaptée à l'équilibre de sa jambe gauche. Sa jambe gauche se retrouva brusquement, et sans avertissement, à devoir supporter une charge à laquelle elle n'avait pas été soumise depuis des années. Le jeune scalde fit un bond sur le côté, et Snorri tomba lourdement. Il chuta maladroitement en soulevant de la poussière. Margrete se retourna. Elle regarda Snorri, puis Knut. Et elle rit. Ce soir-là, Snorri répéta au moins dix fois que Margrete avait ri de lui.

Si seulement elle pouvait s'arranger pour venir ! Peut-être était-il arrivé quelque chose aux enfants ? Dans ce cas, elle ne les laisserait pas. Il le savait. Qu'aurait-il fait, lui ? Il aurait choisi celle qu'il aimait. Si elle l'aimait vraiment, elle devrait oublier toutes ses obligations et ses peines afin de respecter son engagement. Rien ni personne, ni la moindre menace, ne devaient se mettre en travers de leur route.

Il répéta le nom de Margrete, à voix basse. Il l'aimait car elle était tout ce qu'il n'était pas. Elle avait des opinions tranchées. Lui, il pesait toujours le pour et le contre, jusqu'à ce qu'il soit trop tard. En même temps, il voulait tout posséder. La volonté de Margrete lui rappelait celle de sa fille Thordis, qui avait des yeux si bleus que l'on croyait parler au ciel. Seule Margrete pouvait arriver à cheval sur le pré. C'était une affaire entre elle et lui. Si seulement il pouvait au moins la voir. Ne serait-ce qu'un instant. Et il vénérerait ce moment comme son souvenir le plus cher et le plus important.

Dans le ciel, les nuages filaient vers l'est.

Une volée d'oiseaux surgit de nulle part. Savoir de quelle espèce il s'agissait ne l'intéressait pas. Mais il était impossible d'ignorer le vacarme qu'ils faisaient. Des vidures de poisson avaient été jetées par une fenêtre. Après avoir tournoyé quelques secondes au-dessus de ces morceaux gras, ils s'abattirent sur eux. Ils se donnaient des coups de bec sur la tête afin de mettre de l'ordre dans leurs rangs. Le dernier arrivé, un jeune, dut se contenter d'arêtes et d'une peau de poisson rebutées.

Sa tenue ne l'intéressait plus. Il avait crié le seul nom qui le préoccupait. Il fut saisi à l'idée qu'elle pût être morte. Il s'avança vers la colline la plus proche et se mit à pleurer.

« Elle est morte. Évidemment, elle est morte. »

Le silence se fit pendant un instant. Il haletait. Il se mit à quatre pattes et baissa la tête. Il sanglotait. Il était à terre dans ses plus beaux habits. Ses larmes se mêlèrent à la poussière. Nul à Reykholt ne l'avait vu dans un état pareil. Même enfant, à Oddi, il ne s'était pas comporté ainsi. Alors qu'il cherchait à reprendre son souffle, il le sentit. Dans les doigts, puis dans les genoux. Un léger tremblement de sabots. Pas de doute. C'étaient bien des chevaux qui s'approchaient. Un seul ? Non, il y en avait plusieurs, mais pas beaucoup. Il se redressa vivement, de sa main droite essuya ses larmes et brossa fébrilement son pantalon.

« C'est elle, c'est sûrement elle, marmonna-t-il en

redescendant vers le pré. Je savais qu'elle allait venir. Bien sûr que je peux compter sur elle. Comment ai-je pu croire autre chose ? Mais qu'est-ce qui m'a pris ? »

Il ne songea pas à aller prendre son épée, ni à rassembler les hommes en armes de Reykholt. L'idée ne l'effleura même pas. Là, quatre jours avant que sa vie ne lui soit ôtée, il pensait que les chevaux qui s'approchaient du domaine ne pouvaient apporter que des bonnes nouvelles. Il répéta plusieurs fois que c'était Margrete, comme si cela renforçait sa certitude. Il se plaça au centre du terrain devant la maison, remit un peu d'ordre dans ses habits, passa les doigts dans sa barbe et se répéta quelques-unes des phrases qu'il avait préparées.

La poule blanche qui, ces derniers jours, avait pris l'habitude de picorer devant la maison, vint devant la porte. Elle hérissa ses plumes, tapa du bec contre la porte fermée et tendit le cou vers la fenêtre. La porte ne fut pas ouverte. Elle frappa encore plus fort. Rien. Au bout d'un moment, elle finit par s'éloigner à pas indécis. Elle alla au coin de la maison, où il y avait une écuelle remplie par la dernière averse. Elle secoua violemment ses ailes et se débarrassa des puces récoltées pendant la nuit. Au loin, un éclair lança sa langue de feu sur un arbre solitaire.

Les chevaux s'approchaient vite. Ils venaient d'une direction inattendue. Il n'allait pas tarder à les voir. Mais pourquoi Kyrre, ou une servante, ou quelqu'un ne sortaient-ils pas voir qui venait ? Tout le monde entendait sûrement que des gens arrivaient. Snorri voulait que tous voient Margrete. Il était si fier d'elle ! Il n'y avait aucune raison de se cacher. Mais, en cet instant, peu importait. Il se dressa sur la pointe des pieds. Là, il les apercevait. Y avait-il seulement deux chevaux ? Oui, un marron et un noir. Mais portaient-ils bien quelqu'un ? Ils entrèrent sur le terrain au grand galop. Elle était là. Margrete montait le cheval marron. Snorri tendit les bras. Elle tenait l'autre cheval par la bride.

« Tu es seule ? »

Il la dévisagea. Il scruta les yeux verts, les lèvres fines, les longs cheveux retenus par un ruban de soie violette. Elle n'avait pas changé.

« J'ai perdu le troisième cheval, dit-elle, essoufflée. Il est brun avec des taches blanches. Il s'est détaché et il est parti devant. Tu l'as vu ? »

Il regarda ses pupilles cernées de vert. Ses pommettes, sa bouche, son cou.

« Oui. » Il secoua la tête. « Kyrre l'a certainement attaché là-bas, avec les autres chevaux. »

Il désigna l'écurie.

Elle sourit, soulagée, et souffla.

« Comment vas-tu ?

– Ça va bien, parce que je peux te voir. C'est tellement joli, ici, à Reykholt », dit-elle le plus calmement possible.

Son visage était doux et chaud, ses traits rayonnaient de la joie éprouvée à revoir l'homme de grande taille, vieillissant et un peu voûté. Cependant, une expression inquiète venait parfois ombrer ce visage. Elle regardait autour d'elle. Reykholt ressemblait exactement à ce qu'elle avait imaginé. Elle demanda où se trouvait le bassin. Il pointa le doigt dans sa direction. Il lui demanda pourquoi elle avait pris trois chevaux. Elle répondit qu'elle avait besoin d'un cheval frais et dispos pour poursuivre son chemin. Elle dit à Snorri de faire attention à lui. Elle le serra dans ses bras. Bien entendu, il devait être prudent. Elle s'écarta un peu de lui. Le contempla. Elle sourit. Elle dit qu'elle ne l'avait jamais vu aussi bien habillé. Elle mentionna le bouton d'ambre et la broche élégante. Et sa barbe ? S'était-il vraiment taillé la barbe ? Il acquiesça. Elle rit. Il posa les bras sur ses épaules.

Il regarda les longs cheveux qui tombaient librement à partir du nœud sur la nuque. Elle portait une chemise de lin grise avec une robe en lin azur par-dessus. La robe était retenue par des bretelles, et maintenue par deux broches en or. Sur les épaules, elle avait une cape rouge qu'elle avait enlevée en pénétrant sur le terrain devant la maison. Autour du cou, elle portait un collier de perles de cristal de roche serties d'argent. Il le trouvait joli.

« Tu étincelles », dit-il. Elle passa la main droite sur les perles, leva les yeux vers Snorri, sourit et acquiesça. Oui, elle partageait son avis. Elle l'avait reçu d'un marchand de Gotland qui voulait conclure une grosse affaire avec son mari. Il posa le bras sur ses épaules et la conduisit vers la porte. Elle regarda des deux côtés. Sur le seuil, elle se retourna. Étaient-ils seuls ? À l'instant où ils allaient entrer, elle songea qu'elle devait prendre les deux sacs accrochés sur le dos du cheval noir. Snorri les avait suspendus à la clôture, et se proposa immédiatement de les porter. Elle les lui confia, le remercia, écarta les cheveux qui tombaient sur son front et entra dans la maison. Les sacs étaient plus lourds que prévu. Sans demander, il les ouvrit. Alors qu'il ouvrait le plus grand, une odeur délicieuse monta vers lui. Comment pouvait-elle savoir ? S'était-il trahi ? C'était le plus délectable des parfums. Ses narines s'efforcèrent de capter tous les fumets dégagés par le ragoût de mouton. Il était certain que c'était vraiment un ragoût de mouton qu'elle transportait dans cette marmite. Il lui posa la question, non pour obtenir une confirmation, mais pour faciliter la conversation. Elle fit oui de la tête. Elle ajouta qu'il avait dit que le ragoût de mouton était son plat préféré. Il l'avait d'ailleurs répété au moins trois fois. Vraiment ? Elle rit, et il rit à son tour. Mais elle n'était tout de même pas là pour faire la cuisine. Car elle savait bien qu'il avait des domestiques pour ça ?

« Nous aurons sûrement besoin d'être seuls », déclara-t-elle. Le visage de Margrete était grave, il le voyait. Elle remarqua qu'il la dévisageait. Elle lui ôta la marmite des mains et alla l'accrocher à la chaîne qui descendait de la poutre principale. Il alluma le feu, puis il demanda à Margrete où il devait ranger les sacs. Il ne lui demanda pas pourquoi elle avait deux poignards dans le second. Snorri sortit deux coupes en argent et un pichet de vin de cerises du petit placard à côté de son lit. Mais peut-être préférait-elle du vrai vin rouge, de la vallée du Rhin ? Il s'accroupit et chercha dans le placard. Il lui demanda une fois encore s'il ne devait pas ordonner à ses domestiques de préparer le festin qu'elle méritait. Pourquoi ? Le ragoût ne lui plaisait pas ? Il serait vite réchauffé, dit-elle. Au contraire ! Ce n'était pas ce qu'il voulait dire. Il avait du pain dans le placard. Il écarta les bras et la pria d'excuser son étourderie.

« Tu veux à la fois du vin de fruits et du vin rouge ? »

Elle ne répondit pas, il apporta les deux. Sur la grande table, il posa également les deux coupes en argent, le pain, une cuillère en argent et un couteau pour chacun. Il avait également de la bière, mais ça pouvait attendre un peu, n'est-ce pas ? Elle acquiesça et lui demanda à qui appartenait le grand métier à tisser. Elle désigna l'ouvrage laissé par Hallveig. Elle l'observa d'un air approbateur et murmura quelque chose à propos de la toile. Snorri n'en comprit pas un mot. Il observa Margrete.

Elle n'était plus essoufflée. Il s'approcha d'elle, pencha sa tête contre la sienne. Il sentit combien le front de Margrete était chaud. Il essaya de l'embrasser, elle se détourna.

Il versa du vin de fruits. Ils trinquèrent. Snorri demanda si elle avait rencontré des problèmes en route. Elle fit non de la tête. Elle savait quel chemin prendre. Là encore, il ne la comprit pas. S'était-il passé quelque chose d'inhabituel ? Il essaya de l'étreindre. Elle hésita un instant. Il la prit par le bras.

Oui, il s'était passé quelque chose. Elle avait vu un cygne. Un gros cygne, bien nourri. Il glissait sur la surface de l'eau, comme un traîneau, d'un reflet de nuage à l'autre. Comme s'il avait faim des nuages qui ne cessaient d'apparaître.

Il ne dit rien. Il était surpris de penser ainsi soudain à Hallveig, son épouse qui avait été rongée par la maladie pendant plusieurs années. Désormais, il lui faudrait voir d'autres femmes, lui avait-elle dit alors que Gyda, juste à côté d'eux, pouvait les entendre. Elle n'était pas non plus une putain, elle qui était maîtresse de maison à Reykholt, avait ajouté Hallveig. Gyda s'était inclinée et avait fait la révérence.

Snorri avait parlé de Hallveig à Margrete lors d'une de leurs premières rencontres. Il avait parlé d'elle avec respect, la décrivant comme une personne qui, à bien des égards, était plus courageuse que lui.

Alors que Margrete avait eu deux enfants, c'était seulement après avoir couché la première fois avec Snorri qu'elle avait commencé à se toucher. Le même soir, elle s'était glissée nue sous la couverture, avec son mari qui ronflait à côté d'elle. Après quelques hésitations, et après avoir vérifié une fois encore que son époux dormait vraiment, elle s'était caressé les seins avant de glisser ses doigts entre ses cuisses. Elle ne cessait d'entendre Snorri qui lui disait qu'il penserait sans cesse à elle, qu'il rêvait d'elle et de vivre avec elle. Mais, surtout, elle avait apprécié le regard de Snorri. Chaque soir, dans le lit conjugal, elle s'imaginait qu'il la déshabillait. Et chaque jour, une fois le soleil levé, elle se disait qu'elle devait se défaire de telles pensées. Mais à chaque fois, les pensées interdites qu'elle nourrissait à l'égard du vieil homme revenaient avec une force accrue.

Et pourtant, elle avait essayé de résister! Cela avait été vain. De plus en plus souvent, elle s'imaginait qu'elle se déshabillait devant lui, au bord d'un petit étang où nul ne pourrait les découvrir, si ce n'est la lune. Elle se placerait sur la rive, l'eau serait noire autour des pierres, Snorri la verrait se défaire des bijoux à son cou et à son poignet. Elle dénouerait la boucle qui retenait ses cheveux, elle laisserait glisser sa longue robe rouge, elle dévoilerait son corps comme si elle sortait d'un pétale et, doucement, elle abandonnerait les pierres pour s'avancer dans l'eau. Cela faisait deux ans qu'elle s'était imaginée pour la première fois en compagnie de Snorri, sous le regard de la lune.

Elle se rapprocha de Snorri, posa les mains sur ses épaules et l'attira vers elle. Il l'embrassa. Elle le laissa faire. Margrete prit la main droite de Snorri et l'attira vers le lit. Ils s'embrassèrent. Il moucha une chandelle, la pénombre se fit. Leurs habits se retrouvèrent en tas. Qu'elle était belle. Snorri se couvrit avec sa chemise. Elle la lui arracha et la jeta par terre. Elle serra Snorri plus fort contre elle.

Elle s'étendit la première et lui tendit les bras. Il distingua les poils blonds sur les avant-bras de Margrete. Elle souleva la tête de l'oreiller, lui sourit, et lui demanda ce qu'il attendait. Il secoua la tête, prit le bras de Margrete dans sa main droite et posa le genou droit sur le lit avant de s'y étendre de tout son poids. Elle lui caressa la joue. Il l'embrassa lentement, inclina la tête et l'embrassa plus passionnément.

Il remarqua la nudité de Margrete, il remarqua aussi à quel point ses doigts à lui étaient rugueux. Ici, il serait tentant d'écrire en détail sur la manière dont elle se mit à l'aise, dont elle prit la tête de Snorri pour la mener entre ses cuisses, pour la presser contre elle avant de gémir, sur la façon dont elle le serrait contre elle avec le bras droit tandis que, de la main gauche, elle se poussait contre lui. Ici, ce sera à chacun d'ajouter ou d'ôter des éléments, selon la pudeur de chacun. En revanche, ce qui est certain, c'est que Margrete releva la tête hirsute pour l'embrasser, avant de la faire reconduire entre ses jambes. Elle se demanda combien d'hommes avaient pu se trouver ainsi étendus sur le ventre au fil des siècles, combien de femmes avaient donc caressé leur tête ébouriffée, puis elle avait pensé à la grossesse et à l'accouchement avant d'attirer Snorri sur elle. Snorri se souvenait qu'il l'avait embrassée sur le front. Avec cette dernière pensée, et elle s'était endormie.

Ils se levèrent avant la nuit. C'était la dernière fois qu'ils devaient se réveiller ensemble. Elle regarda par la fenêtre, vit le bouleau nain qu'éclairaient chaque jour les premiers et les derniers rayons du soleil. Snorri dit un mot qui n'était jamais sorti de ses lèvres. Il dit qu'il était heureux. Ils burent du vin rouge. Il lui demanda pourquoi elle était soudain si silencieuse. Elle hésita à répondre. Il s'en rendit compte. Il lui posa la question une deuxième fois. Elle lui répondit qu'elle se faisait du souci pour ses enfants, et pour ce qui pouvait lui arriver, à lui.

« S'il te plaît, écoute-moi ! reprit-elle.

– Ne t'inquiète pas, je suis capable de me défendre. Tu le sais, n'est-ce pas ? » Il l'enlaça, elle posa la tête contre la sienne. Il lui caressa les cheveux, l'embrassa sur la joue, se leva et décrocha la corne du mur. Elle était soigneusement décorée, et cerclée de métal autour du bord. C'était un cadeau qu'il avait reçu de Jon Loptsson pour son quinzième anniversaire. Cette corne de bœuf était remplie de bière. Il demanda à Margrete si elle avait déjà bu à une corne. Elle fit non de la tête.

« Tu ne veux pas essayer, pour me faire plaisir ? »

Elle faillit lui demander s'il n'avait donc pas compris la gravité de ce qu'elle venait de lui dire. Elle lui dit qu'elle voulait bien essayer de boire à la corne.

« C'est un art qu'il convient d'apprendre, un de plus », dit-il en riant. Cela faisait plusieurs semaines qu'il n'avait pas bu de bière. Là, il voulait absolument boire, faire la fête et se réjouir, parce que Margrete était enfin venue. Oui, et plus encore. Il voulait lui demander si elle envisagerait de s'installer à Reykholt. Elle lui demanda si elle pouvait soupeser la corne. Comment, Margrete l'interrompait ? Cette corne avait l'air bien lourde, ou était-ce seulement une impression ? s'enquit-elle. Il la lui tendit. Elle secoua la tête. Snorri lui expliqua que si elle changeait d'avis, elle devait faire attention, car les premières gouttes se muaient rapidement en une cascade. Souhaitait-elle qu'il lui fasse une démonstration ? Il y avait un autre problème, en effet, il était difficile de reposer la corne avant qu'elle ne soit vide. Il rit. Elle ne dit pas qu'il suffisait de la raccrocher après avoir bu quelques gorgées. Elle ne l'avait jamais vu de si bonne humeur et si enjoué. Elle se réjouit de voir son enthousiasme, pareil à celui d'un jeune garçon. Elle but à la corne, en renversa et rit avec Snorri, puis il prit la corne et la vida. Alors qu'il allait tendre la corne à Margrete une nouvelle fois, il trébucha et la fit tomber par terre. Elle pouffa de rire. Il rit lui aussi, prit Margrete dans ses bras, la souleva et la porta jusqu'au lit. Ils se dévisagèrent. L'amour, c'est le temps qui s'arrête dans le regard de l'autre.

Ils s'endormirent recouverts d'une peau de bête. Leurs vêtements gisaient en tas, à côté de la bougie éteinte et de la corne. Les braises du feu rougeoyaient encore. Margrete avait rangé la marmite dans le sac à côté du lit. Elle pensa à Egil. Il était sûrement en train de parler d'elle et de Snorri aux enfants. Il les exhortait certainement à la haïr. Snorri dormait d'un sommeil lourd. Dehors, le bouleau nain tremblait à peine. Une brise légère vint avec la nuit. Les branches frémissaient, et les feuilles murmuraient entre elles.

20 septembre 1241

Margrete parvint à se glisser hors du lit sans que Snorri ne s'en rende compte. Elle s'habilla, resta près de la porte à contempler l'homme imposant dans le lit. Il dormait paisiblement sous la peau de bête. Elle eut envie de le rejoindre sans bruit et de l'embrasser sur la joue, mais elle changea d'avis. Dehors, elle entendait seulement le souffle du vent dans le bouleau. Elle devait s'éclipser avant que Snorri ne se réveille.

Avec précaution, Margrete ouvrit la porte, qui grinça moins qu'elle ne l'avait craint. Dans l'écurie, les chevaux dormaient encore. Elle attendit un instant avant de faire sortir ses trois montures. Elle accrocha ses sacs sur le cheval brun, et conduisit les chevaux loin de la maison principale, jusqu'à la porte Sud. Elle savait que Kyrre, le garçon d'écurie caché derrière la porte, la suivait des yeux. Elle monta sur le cheval brun, le plus vif et le plus résistant. Après avoir regardé derrière elle une dernière fois, elle talonna son cheval. Les deux autres suivirent docilement. Le soleil se leva. Alors qu'elle en sentait la chaleur sur sa joue, elle vit trois cavaliers qui venaient dans la direction opposée. Elle se redressa. Devait-elle changer son chemin ? Si elle fonçait vers le nord, peut-être parviendrait-elle à les éviter ? Elle décida de continuer droit devant elle. Leurs vêtements étaient inhabituels, et ils ne semblaient pas porter d'arme. Elle allait plus vite qu'eux et, peu après, ils se croisaient. La tenue du cavalier de tête lui rappelait quelque chose. Sa tunique de prêtre paraissait déplacée en Islande. Les deux autres étaient sûrement ses serviteurs. À peine s'étaient-ils croisés sur le chemin étroit que Margrete se retourna pour observer la petite troupe. Pas de doute, elle avait déjà vu des hommes habillés de la sorte. À Rome.

Ce prêtre était un Ugolin, et il était un parent éloigné du pape Grégoire IX. Ses ordres impliquaient qu'il devait voir Snorri à tout prix. Un des serviteurs parlait un mauvais islandais. Le deuxième serviteur portait à son cou un lacet de cuir auquel était accroché un étui cylindrique, en cuir également. Il contenait une lettre du pape, en latin, avec une copie en islandais. La troupe se rendait à Reykholt. La missive était adressée à Snorri. Le pape et ses envoyés voyaient toujours en Snorri l'homme le plus puissant d'Islande. La première partie de la lettre décrivait un homme que le pape détestait plus que tous : l'empereur Frédéric II. La deuxième partie présentait en détail les termes du compromis passé à Jérusalem entre l'empereur et les infidèles. Enfin, le document comprenait un appel vibrant, pour ne pas dire un ordre, lancé à l'Islande et à la Norvège, lesquelles devaient s'unir pour partir en croisade et libérer Jérusalem.

Ils suivaient le plus fréquenté des chemins qui menaient à Reykholt. Tant que Margrete put les suivre des yeux, elle vit un nuage de poussière qui traînait derrière eux à quelques mètres de distance.

À moitié endormi, Snorri tendit le bras, pensant trouver Margrete. Il voulait lui caresser le dos et les hanches, il voulait l'embrasser dans le creux du cou, sur la chaîne où pendait une croix en or, le seul bijou qu'elle portait sous ses vêtements. Il ouvrit les yeux. Sa main chercha Margrete, ses lèvres marmonnèrent son nom.

D'un bond, il sortit du lit. Il attrapa son pantalon et y plongea le pied droit. Le pantalon était à l'envers. Snorri abandonna et jeta le vêtement par terre. Sa jambe gauche était engourdie. Il tituba, tapa du pied jusqu'à ce que la circulation revienne et lui permette de marcher normalement. Il sortit de la maison en courant, toujours nu. Les chevaux de Margrete n'étaient plus là ! Elle avait décampé sans lui dire au revoir. Sans le prévenir. Sans un mot.

Il appela Dieu à l'aide, avant de l'insulter. Puis, plein de remords, il demanda à Dieu et à Margrete de lui pardonner de les avoir traités ainsi. Peut-être quelqu'un avait-il emmené Margrete contre son gré ? Mais oui, c'était sûrement ça ! Est-ce qu'Egil était venu pendant la nuit ? Lui avait-il fait du chantage aux enfants ? Snorri maudit son penchant à dormir d'un sommeil si lourd. Mais il ne vit les traces de personne. Il s'agenouilla devant la porte pour vérifier. Il se releva, scruta le terrain devant la maison. Puis, une fois encore, il cria à Dieu de lui venir en aide. Cette prière pressante s'adressait à un Dieu qui ne connaît pas l'art des limites. Il appela un Dieu qui, souvent, ne se contrôle pas. Après avoir créé le hanneton, Il ne sut se satisfaire d'une seule espèce, Il créa trois cent mille espèces de coléoptères. Snorri, dans son impuissance, demanda pardon et indulgence à Dieu. Haletant, il partit à la recherche de Kyrre afin de lui demander s'il avait vu Margrete. Cette fois-ci, Kyrre parvint à se cacher à temps.

Snorri rentra aussi rapidement que ses jambes le lui permettaient, il enfila ce qu'il trouva par terre, une chemise et un pantalon chiffonnés, après les avoir remis à l'endroit. Il ressortit vite. Il était pieds nus. Il lui fallait prendre son cheval et galoper derrière Margrete. Il alla à l'écurie. Il crut entendre quelqu'un et cria qu'il se débrouillerait seul. Sleipnir n'était pas là !

« Kyrre, tu m'entends ! » résonna alentour.

Snorri jeta un coup d'œil par la porte de l'écurie. Il réfléchit un instant avant de ressortir.

Oui, il lui fallait rattraper Margrete. Cette malheureuse qui était obligée de vivre dans cette ferme perdue, à l'écart de tout. Une ferme laide, bonne à une seule chose : se saouler à mort sans que nul ne le remarque. D'ailleurs, il le lui avait dit. Elle avait détourné les yeux.

Il prendrait un autre cheval. De toute façon, ils lui appartenaient tous. La porte Sud était ouverte. Mais il vit seulement un troupeau de vaches, têtes baissées. Elles donnaient l'impression de porter le poids du ciel sur leur dos. Snorri soupira lourdement, il fit demi-tour et fonça à l'écurie. Quel cheval prendre ? Kyrre aurait pu le conseiller, mais le temps pressait. Snorri s'approcha rapidement du grand cheval blanc. Il avait vu Kyrre le monter plusieurs fois.

Snorri parla au cheval. Celui-ci semblait avoir bon caractère. Il le caressa et le sortit au grand jour. Dans sa main gauche, Snorri avait un peu de foin, qu'il donna au cheval dès qu'ils furent sortis. Snorri continua de parler au cheval pendant qu'il monta sur son dos. Cela faisait des années qu'il n'était monté sur un cheval autre que Sleipnir. Il n'aimait pas ça. Mais il n'avait pas le choix. Il le mena au trot, puis au *tölt* et, enfin, il passa au grand galop. Il fit le tour des remparts de Reykholt.

Margrete n'était pas là. La porte Nord était fermée. Au trot, Snorri revint à la porte Sud. Il arrêta son cheval à quelques mètres. Sa monture piaffait d'inquiétude et, de prime abord, Snorri ne comprit pas pourquoi. Puis il se rappela que le ruisseau qui allait de la source d'eau chaude jusqu'au bassin passait juste au-dessous d'eux. Il regarda en bas de la colline. Le cheval et son cavalier formaient une ombre longue et oblique. Puisse cette source continuer d'arroser Reykholt ! Autrefois, elle coulait à vingt-cinq kilomètres du domaine. Sa mère lui avait raconté que la source s'était déplacée car un homme innocent avait été tué et ses vêtements sanglants avaient été lavés dans la source. La source voulut venger l'homme assassiné, et elle se rapprocha de Reykholt. Hélas, il y eut un deuxième meurtre, et les habits de la victime furent nettoyés dans la source. Celle-ci se déplaça donc encore fois pour couler juste à côté des maisons de Reykholt, où on la trouvait actuellement. La mère de Snorri ajouta que si trois prêtres se succédant à Reykholt portaient le même prénom, la source disparaîtrait. Snorri avait souri en entendant cette histoire, cependant tous ceux qui se sont retrouvés à la tête du fief de Reykholt à partir de cette date ont vérifié le prénom de chaque nouveau prêtre.

Snorri entendit un hennissement tout près. C'était Sleipnir ! Mais qui l'avait donc abandonné ainsi, à l'extérieur des remparts ? Snorri s'approcha vite de Sleipnir, il descendit du cheval de Kyrre, monta sur le sien et ramena l'autre à l'écurie.

Orækja se trouvait à une journée de cheval de Reykholt. Pourquoi les choses tournaient-elles si mal chaque fois qu'il voyait son père ? Il n'avait même pas eu de quoi se nourrir pour un jour. Combien de fois Snorri ne lui avait-il pas dit qu'il se repentirait de ce qu'il venait de faire ? Pourtant, c'était presque toujours Snorri qui l'avait envoyé remplir telle ou telle tâche. Là, il n'avait même pas le droit de passer la nuit dans la maison de son enfance. Son père devait comprendre que les choses ne se passaient pas toujours comme prévu. Il ne parvenait pas à se sentir coupable, d'autant plus que, d'après lui, il ne l'était aucunement. Et s'il feignait de demander pardon à Snorri, son père le percerait à jour immédiatement. S'il ne disait rien, Snorri était persuadé que son fils essayait de le berner. Quoi qu'il fasse, cela n'irait pas. Aux yeux de son père, il avait toujours tort. Dans sa jeunesse, Orækja s'était rebellé contre son père. Adulte, il s'était résigné, et avait tenté de faire montre de dévouement. Arnbjørg, son épouse, avait maintes fois cherché à ce qu'il dise non à Snorri quand ce dernier formulait des demandes déraisonnables. En vain. La dernière fois, lorsque Snorri l'avait envoyé dans l'Isafjord pour mater les Vatnsfirdingar, le résultat avait été le même. Snorri avait dit qu'il s'était totalement trompé. Orækja n'avait pas cherché à traiter avec les révoltés, il les avait écrasés par la pure force. Pourquoi n'avait-il pas pris le temps de mesurer les conséquences de cette solution brutale ?

« La prochaine fois, tu te débrouilleras seul, dit Orækja.

– Alors comme ça, je ne peux plus compter sur toi ? répliqua son père.

– Y a-t-il fils plus dévoué que moi dans toute l'Islande ? »

Son père ne répondit pas.

« Tu sais que je suis fier de toi. Je ne pourrais espérer un meilleur père. »

Snorri se détourna.

Il y a des âmes que Dieu Lui-même ne saurait sauver. Même si Dieu se mettait à genoux et priait pour elles.

« Père, tu penses sans doute que je ne suis pas digne de te couvrir d'éloges... Ou bien... » Orækja se souvint qu'il avait hésité, terrifié par le contenu de ses paroles. « Ou bien serait-ce parce que tu n'es pas sûr de les mériter ? »

Snorri garda le silence. Pour une fois, il ne savait quoi répondre.

Orækja se pencha en avant et caressa la crinière de son cheval. Longtemps, il avait cru que la brusquerie de son père était due à la mauvaise conscience liée à sa relation avec Margrete. Orækja avait dit à Snorri qu'elle ne le gênait pas, mais cela ne l'avait pas amadoué pour autant.

Il pensa à la traversée qui les avait ramenés en Islande, deux ans plus tôt. Tout avait commencé si paisiblement. Il se souvenait qu'ils s'étaient moqués du roi Håkon qui avait essayé de les retenir en Norvège. Son père l'avait réprimandé devant témoins, mais cela n'avait pas d'importance maintenant. En revanche, qu'il se soit laissé attacher au banc de nage, sur l'ordre de son père, cela le déconcertait. Pourtant, Orækja l'avait accepté, sans résistance, sans une seule insulte. Pourquoi n'avait-il pas crié sa fureur à l'égard de son père ? Le regard anxieux du barreur n'avait cessé de passer de lui à son père, lequel regardait fixement la mer d'huile. Orækja avait observé les autres personnes à bord. Elles restaient tête baissée ou regardaient au loin, comme si elles craignaient qu'il n'explose et n'assomme l'homme à la barre, avant de se révolter une ultime fois contre son père et de le balancer par-dessus bord. Il n'en avait rien été, il s'était laissé humilier, sans dire un mot, et cela les avait étonnés plus que lui. Orækja avait raison en ce qui concernait le cap à suivre, mais si les autres étaient intervenus, ils auraient humilié son père. Et ça, c'était la dernière chose que voulait Orækja. Il était obligé de reconnaître que cela l'aurait blessé encore plus.

Orækja lança son cheval au galop. Tout ce qu'il était, sa position et son rang, il le devait à son père. Son père était intelligent et lettré, pas lui. Il était irascible, inutilement brutal et capable de tout. C'étaient là les paroles de son père. Mais comment son père avait-il su qu'il ne résisterait pas quand il avait donné l'ordre de l'attacher ? Il n'y avait pas eu la moindre trace d'inquiétude sur les traits de Snorri. Pas un tremblement, pas un rictus.

Orækja allait chasser au faucon quelques jours de plus. Peut-être retournerait-il à Reykholt à une autre occasion ?

Après avoir attaché le cheval blanc dans l'écurie, Snorri ressortit par la porte Sud. Peu après, il aperçut une petite troupe qui se dirigeait lentement vers Reykholt. Il talonna Sleipnir mais, après avoir parcouru quelques mètres à peine, il changea d'avis. Il mena Sleipnir au trot, et lui fit décrire des cercles. Il observa les cavaliers qui avançaient avec lenteur. Est-ce que Margrete se trouvait parmi eux ? Il monta au sommet de la petite colline. Non, ce n'était pas elle. Ils n'avaient pas l'air de cavaliers entraînés. Ils s'approchaient. Mais qui étaient-ils donc ? Le cavalier de tête n'avait pas de bagages derrière lui. En revanche, les deux autres étaient lourdement chargés. Ils s'arrêtèrent. Mais que se passait-il ? L'homme de tête pointa le bras en direction de Reykholt. Parlaient-ils à quelqu'un ? Snorri se dissimula derrière une grosse pierre. Un seul homme de la troupe parlait, celui qui se trouvait à l'arrière. Ils étaient arrêtés près d'un taillis du marais. S'adressaient-ils à une personne qu'il ne pouvait voir, cachée derrière le grand buisson ? Sleipnir voulait avancer. Snorri tira fermement les rênes. Il ne leur était pas possible de voir Snorri. Ils firent tourner leurs montures. Cinq hommes en armes sortirent du buisson. Snorri tressaillit. Son cœur s'emballa. Les trois cavaliers repartirent d'où ils venaient, suivis des cinq hommes. Ces hommes cachés leur faisaient rebrousser chemin ! Est-ce que Reykholt était cerné ? Il lui fallait rentrer sans se faire remarquer. Qu'avaient-ils fait à Margrete ? Si seulement elle avait choisi un autre chemin. Il s'agissait de rentrer à Reykholt le plus vite possible. Il fallait immédiatement rassembler tous les hommes capables de porter une arme ! Orækja était-il parmi ces cinq hommes ? Snorri plissa les yeux. Impossible de les reconnaître. En tout cas, le cheval noir d'Orækja n'était pas là. Mais il pouvait en avoir changé.

Snorri pencha le buste en avant, sans quitter des yeux les hommes à quelques centaines de mètres de lui. Il balança la jambe droite en arrière, afin de glisser sur le flanc gauche de Sleipnir. À peine ses pieds touchaient-ils l'herbe qu'il prit les rênes et guida son cheval vers la porte. Il regarda encore les hommes en armes. Pourquoi n'avançaient-ils pas ? Le sang battait dans ses tempes. Avaient-ils donc un complice à Reykholt ?

Ce que Snorri ne pouvait voir, c'était que l'homme à la tête de la petite troupe n'était autre que Gissur Thorvaldsson. Si Snorri l'avait reconnu, peut-être aurait-il compris ce qui l'attendait.

Seize ans auparavant, Gissur avait épousé Ingibjørg, la fille de Snorri. À quinze ans, Gissur était le meilleur ami de Lille-Jon. Le jeune Haukdælir avait grandi non loin de Thingvellir, et, à Reykholt, on l'adorait. Même après que de violentes inimitiés eurent secoué les Sturlungar, il avait fait bien des sacrifices pour son beau-père. Lorsque, trois ans plus tôt, Sturla Sighvatsson avait chassé Snorri de Reykholt, Gissur l'avait invité à demeurer à Reykir. Gissur avait tenté de réconcilier Sturla et Snorri, sans succès. Quand Snorri s'était enfui en Norvège, Gissur avait été banni par Sturla. Ce geste métamorphosa Gissur. Jusqu'alors, il avait été connu pour son esprit amical et conciliant. Il devint froid et calculateur. À ses yeux, les Sturlungar représentaient le fléau de l'Islande. Avec une armée bien équipée, il captura Sturla et le tua de ses propres mains, à coups de hache.

Arrivé à la porte de l'enceinte, Snorri entraperçut une dernière fois les trois inconnus, suivis des cinq hommes armés. Il voulait croire que les trois hommes étaient les prisonniers des autres, et qu'ils n'avaient rien à voir avec lui. Il ferma la porte et plissa les yeux. Il tenta de se représenter le visage de Margrete. Et s'il ne devait jamais la revoir ? Il descendit de Sleipnir, lâcha les rênes et lui donna une tape sur le dos. Sleipnir retourna à l'écurie d'un pas lent, en décrivant un léger arc de cercle.

Devait-il rentrer ? Pourquoi gâcher son temps à ruminer de noires pensées ? Il lui tardait de se mettre à l'écriture. Mais, en fait, ne serait-il pas tout bonnement préférable d'omettre Orækja de la saga de Snorri ? Cela ne la rendrait-elle pas plus aisée à rédiger ? Il inspira profondément. Ces dernières années, quasiment toutes les affaires dans lesquelles Orækja s'était retrouvé impliqué étaient liées à lui, Snorri. Les gens considéraient que, le plus souvent, Orækja agissait pour le compte de son père. Mais il serait juste de souligner à quel point Orækja était crédule. La postérité devait savoir ce que lui, Snorri, avait enduré en tant que père.

Snorri alla s'asseoir à sa table de travail. La fois où Kolbeinn s'était joué d'Orækja était un exemple parfait de la naïveté de son fils. Orækja avait tué Illugi, le beau-fils de Thordis, sa demi-sœur. Malheureusement, Kolbeinn, le gendre de Snorri, était un ami proche d'Illugi. Kolbeinn demanda immédiatement à Orækja de le retrouver sur une plaine non loin de Stadarholt. Orækja renvoya l'émissaire de Kolbeinn, disant qu'il relevait le gant. On s'accorda sur le lieu et l'heure. De bonne humeur et sûr de sa victoire, Orækja monta sur son cheval et ordonna à sa troupe de l'imiter. Peut-être Kolbeinn allait-il abandonner ? Dès qu'ils se retrouveraient face à face, Kolbeinn serait obligé de reconnaître qu'Orækja possédait une expérience du combat bien plus grande que la sienne. Et Orækja faisait presque une tête de plus que lui. De fait, Kolbeinn n'avait jamais tué personne. En outre, Kolbeinn serait peut-être surpris de voir Sturla à ses côtés. Le voyage prit deux jours de cheval, et une nuit à la belle étoile. Ils devaient se rencontrer quand le soleil serait au zénith. Ils arrivèrent à l'heure dite, mais Kolbeinn et sa troupe n'étaient point là. Ils attendirent le reste de la journée. Y avait-il un malentendu ? Orækja s'était-il trompé d'heure ? Pendant un instant, il eut un doute avant d'interroger un de ses hommes. Mais non, ils ne s'étaient pas trompés. C'était Kolbeinn qui avait proposé l'heure. Orækja était persuadé que Kolbeinn viendrait. Plusieurs hommes d'Orækja le quittèrent au bout de quelques heures. Orækja resta sur place un long moment avant de décrire un large cercle pour aller contempler la mer. Les vagues battaient les falaises, comme les jours et les mois. Au crépuscule, il entendit le bruit familier des sabots au galop. Il s'accroupit afin de distinguer le nombre de chevaux. Sa main gauche effleura à peine l'herbe, il inclina la tête de côté. Il y en avait entre huit et dix. Pas plus.

Orækja rejoignit deux de ses hommes, un peu à l'écart, qui étaient déjà prêts à repartir, certains que Kolbeinn ne viendrait pas. Il leur demanda s'ils n'étaient pas disposés à reconnaître qu'ils s'étaient trompés. Ils refusèrent de répondre. L'un baissa la tête, l'autre haussa les épaules. Orækja brandit son épée. Un des hommes qui gardaient les chevaux cria qu'il voyait leurs adversaires. Ils étaient dix. Lorsque les chevaux furent tout proches, il fut possible de distinguer si Kolbeinn en montait un. Il n'était pas parmi les cavaliers. Le chef du détachement sauta de cheval, courut jusqu'à Orækja et lui tendit une lettre. Orækja la saisit brusquement et la lut d'un trait. Il ne dit pas un mot. Plusieurs de ses hommes crièrent qu'ils voulaient savoir ce que disait la lettre. Orækja la donna à l'homme le plus proche de lui. D'une voix forte, il annonça que Kolbeinn ne pouvait venir ce jour-ci, mais qu'il se manifesterait une autre fois. L'émissaire ajouta que, lors de cette prochaine rencontre, aux dires de Kolbeinn, ils ne manqueraient pas de s'entendre pour savoir que faire des Vestfirdingar, lesquels se plaignaient du traitement despotique infligé par Orækja. Orækja demanda à l'envoyé, planté devant son cheval fumant, pourquoi Kolbeinn n'était pas là. L'envoyé répondit qu'il n'en savait pas plus que ce que disait la lettre. Orækja la relut, sans qu'elle lui apporte de réponse.

Certains de ses hommes, ceux qui se tenaient un peu à l'égard du groupe, se mirent à ricaner. Orækja regarda autour de lui, il monta sur un rocher plat et déclara que, à ses yeux, la lettre de Kolbeinn avait valeur de concession. Il admettait qu'ils étaient d'accord sur l'essentiel. Après tout, Kolbeinn était un homme raisonnable. Et, malgré tout, il était le frère de son épouse. Il pria l'émissaire de dire à Kolbeinn qu'il faisait grand cas de sa lettre.

Snorri avait longuement étudié cette lettre lorsqu'il avait retrouvé Orækja, Tumi et Sturla à Saudafjell, une semaine plus tôt. Il l'avait portée à son visage, humé le parchemin et l'encre. La meilleure des encres, faite de noix de galle additionnée de sulfate de fer. Une encre qui dure mille ans. Pour Snorri, il était totalement vain d'expliquer ces détails à ses fils. Il renifla l'encre et constata que la lettre avait bien été écrite deux jours plus tôt. Ni plus, ni moins. Ses narines vibrèrent d'enthousiasme au-dessus de la lettre. L'odeur du parchemin gênait son odorat, mais à peine, et certainement pas suffisamment pour faire douter son nez subtil. Orækja avait raison. La lettre était authentique. Snorri reconnaissait l'écriture de Kolbeinn. Il fit les cent pas devant son fils. Orækja finit par lui demander ce qu'il pensait. Il ne dit rien. Il continua de marcher, lentement, les mains dans le dos. Il releva brusquement la tête et posa sur son fils un regard perçant. Comment se faisait-il qu'il n'ait pas cherché à savoir pourquoi Kolbeinn n'était pas venu ? Le regard d'Orækja se fit soudain fuyant. Snorri secoua la tête et tapa du pied. Il faillit perdre l'équilibre. Il s'assit sur une grosse pierre, chercha à reprendre son souffle en se tenant la poitrine. Orækja courut jusqu'à son père, le tint dans ses bras. Avait-il un malaise ? Snorri repoussa son fils et lui dit qu'il se portait à merveille. Orækja se redressa et demanda à son père pourquoi celui-ci refusait de le croire. Snorri lui dit qu'il ne doutait pas de lui, mais de Kolbeinn. Mais dans ce cas, pourquoi avait-il mis en doute l'authenticité de la lettre ? Il lui avait bien dit qu'elle était vraie. Voilà. Cet incident s'était passé sept jours plus tôt.

Pendant qu'Orækja et Snorri se trouvaient à Saudafjell,

Kolbeinn s'entretenait avec Gissur pour planifier en détail le meurtre de Snorri. Snorri ne devait jamais rien apprendre de cette étrange rencontre qui se passa quasiment sous ses yeux. Quant aux trois envoyés de Rome, ils ne devaient jamais atteindre Reykholt. Les serviteurs murmurèrent entre eux et se réjouirent d'être encore en vie. Quand le prêtre vit la détermination dans les yeux de ceux qui les éloignaient de Reykholt, il se prit même à douter de la solidité de sa foi. Samuel Ugolin était grand, maigre et s'était laissé pousser la barbe à contrecœur. Après avoir débarqué du bateau qui l'avait conduit d'Écosse en Islande, il avait perdu son rasoir dans l'eau. Il songea au regard lourd de reproches que son oncle, le pape Grégoire IX, ne manquerait pas de lui lancer en apprenant qu'il n'était pas parvenu à remettre la lettre. La traduction des paroles du chef de la troupe, faite par son serviteur Giuseppe Tornelli, acheva de le convaincre. L'homme pensait ce qu'il disait. Qu'il fût l'envoyé du pape ne lui avait guère fait impression. Le prêtre demanda une nouvelle fois la permission de remettre la lettre à Snorri. Le serviteur répéta, à contrecœur, la requête du prêtre en ajoutant, de sa propre initiative, que le prêtre craignait la réaction du pape s'il ne remplissait pas sa mission. Les hommes contemplèrent en souriant le serviteur prudent. L'interprète espéra que leurs sourires exprimaient de la sympathie. Peut-être les hommes en face de lui comprenaient-ils la dignité et l'autorité qui émanaient du pape Grégoire IX ?

Grégoire IX n'était pas seulement pape et comte. Il appartenait également à l'une des familles italiennes les plus puissantes. Ils possédaient des terres jusqu'en Sardaigne. Et, fort curieusement, les liens au sein de cette famille puissante étaient d'une solidité inhabituelle. Depuis qu'ils comptaient un pape parmi les leurs, la confiance qu'ils avaient en eux était tout simplement inébranlable. Tornelli demanda aux hommes s'ils ignoraient que le pape avait le soutien des ordres franciscains et dominicains, qu'il avait introduit la Sainte Inquisition, qu'il avait fait établir une nouvelle édition du *Corpus Juris Canonici*, et que, enfin, il était en train d'unifier l'Italie en un seul royaume. Ils haussèrent les épaules. C'était un homme qui serait à la fois pape et empereur, ajouta Tornelli. Là, le prêtre l'interrompit et lui demanda s'il n'avait pas traduit plus qu'il n'avait dit.

« Un peu », répondit le serviteur conciliant.

Si les trois émissaires ne remplissaient pas leur mission, le pape ne donnerait pas de comté ou d'évêché à Ugolin. Et si Grégoire IX avait le moindre soupçon que la lettre n'avait pas été remise parce que Ugolin avait été lâche, ce dernier savait bien ce qui l'attendait. Il avait vu de ses propres yeux ce qui était arrivé au corps de son frère lorsque le pape avait douté de son orthodoxie. Le pape souffrait d'une maladie étrange, ce qui n'avait pas aidé son frère. Il était victime de démangeaisons incessantes. Selon le pape, c'était là l'œuvre du Diable. Et comme il était un fidèle d'entre les fidèles, il devait être châtié encore plus lourdement. Ces démangeaisons le poussaient au bord de la folie. Les médecins avaient tout tenté, au point qu'ils s'en remettaient désormais au petit bonheur pour préparer des remèdes. Toutes les formes d'huiles et de liquides, de plantes et de poudres étaient essayées. Les médecins étaient menacés de crucifixion s'ils ne trouvaient pas de quoi soulager les maux et les tourments du pape. D'autant plus que toutes les espèces de fourmis montraient un intérêt grandissant pour lui. Il émanait de lui un relent irrésistible pour ces créatures industrieuses. Il était donc transporté, dans une chaise à porteurs, d'une pièce à l'autre du palais papal. Tandis que les douleurs devenaient de plus en plus insupportables, de plus en plus de personnes de la cour étaient qualifiées de traîtres et d'alliés des Maures et de Satan. Du matin au soir, avant qu'il ne s'endorme enfin, il était quasiment impossible aux scribes et aux copistes de savoir avec précision combien de fois une même personne était condamnée à mort.

Un espoir mesuré se répandit chez les émissaires du pape lorsque Gissur demanda à voir la lettre. Les serviteurs implorèrent du regard le prêtre, qui hésita avant de comprendre qu'il n'avait rien à perdre. Samuel Ugolin sortit avec précaution la lettre de l'étui de cuir, avec le monogramme du pape sur le sceau. D'une voix forte, il lut la lettre adressée à Snorri. Il la lut d'abord en latin, puis sa traduction en islandais. Le dernier paragraphe éveilla la plus grande attention. Snorri se voyait ordonné d'unir l'Islande et la Norvège afin de lancer une nouvelle croisade contre Jérusalem, laquelle se trouvait désormais sous le contrôle de l'empereur germanique Frédéric II, un empereur qui, dans le reste de la lettre, était qualifié de « traître ». En effet, il avait « eu l'audace de se faire couronner dans la Rome papale en 1220 ». Frédéric II avait passé un compromis avec les infidèles au sujet de l'avenir de Jérusalem. On ne cessait de rappeler la croisade victorieuse du roi Sigurd Jorsalfari, quelque cent ans plus tôt, à laquelle maints Islandais avaient pris part. D'ailleurs, d'après le pape, Rome voyait sans cesse arriver davantage de pèlerins de Norvège et d'Islande. Le nom de Snorri était régulièrement avancé auprès du pape comme le seul homme à posséder assez d'influence dans les deux pays. Le silence se fit après la lecture de la lettre dans les deux langues. Les émissaires du pape regardèrent Gissur Thorvaldsson avec inquiétude et impatience. Gissur demanda à voir la lettre. Le prêtre lui demanda s'il comprenait le latin.

« Un peu », répondit-il en islandais. Après un silence encore plus long, le prêtre demanda s'il était possible de remettre la lettre à son destinataire, de préférence en mains propres.

« C'est trop tard », fut la réponse. Le prêtre sembla frappé par une flèche mortelle. On demanda aux trois envoyés comment ils avaient parcouru le long chemin qui les avait menés en Islande, et à Reykholt. Tornelli prit la parole, car le prêtre n'était pas en état de s'exprimer. Ses premières phrases furent hésitantes et incohérentes. Lorsque Tornelli remarqua une croix qui pendait sur la cape d'un des hommes, Eirik Torfinsson, il parla plus facilement. Avec trois autres pèlerins islandais, Eirik s'était rendu à Rome afin de voir les tombes de saint Pierre et de saint Paul, avant de s'en retourner au Nord. Le pape, le successeur de saint Pierre, Sa Sainteté elle-même, avait béni leur voyage. Le serviteur répéta que c'était le pape en personne, le *padre*, qui souhaitait que la lettre fût remise à Snorri. Eirik le corrigea poliment en lui disant que le mot islandais correct était *páfi*. L'envoyé du pape ne parvint pas à dissimuler sa surprise en entendant la justesse de la correction. À partir de là, on aurait pu croire que le serviteur était mû par le besoin de donner une description détaillée du voyage épuisant. Le souvenir des péripéties que, en cet instant, il avait tenté d'oublier, remontait en lui et le submergeait. De toute évidence, les raconter avait en soi un effet apaisant. Tornelli demanda si l'un d'eux était allé en pèlerinage à Rome. Avaient-ils vu la Casa dei Cavalieri di Rodi, le palais de l'ordre de Saint-Jean de Malte avec sa vue extraordinaire sur les Forii Imperiali ? Il parvint à évoquer le Colisée, la basilique de Maxence, la colonne Trajanne, l'arc de Titus, l'Aventin, les palais d'Auguste et de Domitien avant d'être interrompu. Ils voulaient l'entendre parler du voyage et de l'itinéraire suivi, pas de son mal du pays.

Avec force précisions, il relata leur périple vers le nord, jusqu'à la côte normande, près de la ville que l'on appelle aujourd'hui Le Havre. De là, ils prirent la mer, jusqu'aux îles Shetland et aux Féroé, et, de là, jusqu'à la côte sud-ouest de l'Islande. Mais comment étaient-ils arrivés en Normandie ? Ce fut Gissur qui posa la question. Étant donné qu'il avait un frère qui faisait un pèlerinage à Rome, il était curieux de savoir combien de temps il faudrait à celui-ci pour rentrer au pays. Ils étaient donc partis de Rome pour se rendre à Terni, de là ils étaient allés à Pérouse pour poursuivre jusqu'à la belle Florence, avant d'arriver à Lucques, où ils avaient vu le Volto Santo, le crucifix aux pouvoirs de guérison. Le serviteur sortit une petite copie en plomb d'un mouchoir, il la tendit à Gissur qui y jeta un bref coup d'œil avant de la lui rendre. De Lucques, ils avaient suivi la côte de la mer Ligurienne jusqu'à Gênes. Pour ne pas avoir à franchir les Alpes, ils avaient emprunté la route le long de la côte, jusqu'à Marseille, avant de remonter le Rhône jusqu'à Lyon, puis la Saône jusqu'à Dijon, où ils étaient restés dans un monastère pendant plusieurs semaines afin de soigner le prêtre, qui avait une pneumonie. Une fois celui-ci guéri, ils étaient montés à Paris, où ils avaient logé à l'université. Ils y avaient vu une collection de livres donnée par Jon

Loptsson, leur compatriote savant et pieux. De Paris, ils étaient allés à cheval jusqu'à Bayeux.

« Quelques jours plus tard, nous avons fait voile vers les Shetland », coupa Samuel Ugolin. Il lui fallait convaincre ces hommes. Après tout, c'étaient des chrétiens aux aussi, même s'ils étaient fort différents de lui. Il fallait qu'il leur apprenne quel malheur avait frappé Jérusalem. La chrétienté menaçait d'être détruite. Pouvait-il y avoir meilleur argument ? Ils avaient assurément entendu parler de Frédéric II ? Frédéric II avait grandi en Sicile, où il avait appris l'arabe et étudié l'art et la culture de l'Orient. Par son mariage avec la fille du Franc qui avait conquis Jérusalem, Frédéric II était devenu roi de la ville. Il s'était entendu avec le sultan al-Kamil sur l'avenir de Jérusalem. Exactement comme Frédéric II, Saladin considérait que la Ville sainte devait être ouverte à toutes les religions, et il avait tenu parole ! Saladin avait eu l'audace d'envoyer des pêches, des poires et des caisses de neige du mont Hermon à Richard Cœur de Lion afin d'apaiser ses fièvres. Cela ne pouvait être par bonté d'âme, mais bien dans le but de l'humilier.

Le 18 février 1229, l'empereur germanique et le sultan du Caire se mirent d'accord sur un compromis qui ouvrait Jérusalem aux différentes religions.

Le pape et Ugolin comparaient Frédéric II aux Byzantins, ces traîtres qui permettaient aux différentes religions de vivre côte à côte à Constantinople, jusqu'à ce que la Quatrième Croisade y mette un terme. D'ailleurs, Ugolin avait vu lui-même, et avec fierté, le butin pris à Byzance devant la cathédrale Saint-Marc, à Venise. Les chevaux de bronze au-dessus de la porte Ouest de la cathédrale piaffaient de triomphe. Un peu au-dessous, la sculpture d'Héraclès qui terrassait le sanglier d'Erymanthe. Tout cela avait été pillé à Sainte-Sophie. Après avoir bu au saint-calice, les croisés avaient piétiné les icônes, et ils avaient chargé l'or, l'argent, les chandeliers et les sculptures sur des ânes qui vacillaient sous de tels fardeaux.

« Frédéric II a pactisé avec le Diable ! s'écria Ugolin. C'est l'honneur et la dignité de Jérusalem qui sont en jeu. Est-ce que Jérusalem doit brûler en Enfer, sans que nous, frères chrétiens, nous nous levions pour combattre ? Et vous, mes amis islandais, vous êtes une partie de cette armée. Où finirons-nous quand prendra fin notre vie crapuleuse ? Au Ciel ou en Enfer ? »

Il était si proche de la maison de Snorri Sturluson ! Un jet de pierre à peine. Devait-il essayer d'échapper aux Islandais, de courir et de jeter l'étui de cuir et la lettre par-dessus le rempart ? Il les regarda à la dérobée. Ils le tueraient avant même qu'il n'ait parcouru la moitié de la distance. Ugolin chassa cette idée. Dieu devait lui venir en aide. Pourquoi ne voulaient-ils pas le laisser rencontrer Snorri ? Était-ce lui qui avait envoyé ces cinq hommes ?

Il parlait avec une ardeur telle que l'interprète avait du mal à suivre. Mais où Ugolin avait-il vu Frédéric II ? Ce fut Gissur qui, énervé, posa la question. Ugolin répondit qu'il avait vu de ses propres yeux ce soi-disant empereur en train de traverser les Alpes, avec sa cour, en direction du Rhin. Là, il avait constaté de quel genre de gens s'entourait ce libertin. Outre une énorme caravane de chevaux et d'ânes qui transportait une cuisine entière, une petite bibliothèque, une partie du trésor impérial, des armes, des munitions et de quoi faire tourner toute une chancellerie, il y avait une ménagerie. Et les bêtes qui ne tenaient pas dans les cages marchaient derrière, à la queue leu leu. Il y avait des éléphants, des girafes, des chameaux et même un léopard, des singes bondissaient sur le dos de ces gros animaux et, derrière, des danseuses orientales s'agitaient au son des tambours d'un orchestre de saltimbanques !

« Et cet "empereur" se prétend cultivé ! » cria Ugolin.

Sachant que Reykholt se trouvait tout juste derrière la colline voisine, il demanda à tous de se joindre à lui dans une prière. Ils obtempérèrent et se placèrent à côté de leurs chevaux. Le prêtre pria en latin, les yeux clos.

Gissur ne voulait plus en entendre davantage. En peu de mots, il dit que les émissaires du pape devaient déguerpir. Deux de ses hommes les conduiraient à un bateau en partance pour Lindisfarne, dans le nord-est de l'Angleterre. Adieu. Ugolin arracha la lettre des mains de l'interprète, il s'agenouilla devant le chef islandais et le supplia de remettre la lettre à Snorri. Tout reste de dignité l'avait abandonné. L'interprète détourna la tête. L'autre serviteur, celui qui tenait l'étui en cuir cylindrique, regarda par-dessus son épaule. Le prêtre se mit à pleurer. Ses mots et ses émotions se mêlèrent pour couler sur ses joues, sans pour autant que cela adoucisse Gissur.

Les Islandais soulevèrent le prêtre geignard et le mirent sur son cheval.

« N'y pensez plus, il n'est pas toujours possible d'arriver en temps et en heure, dit Gissur qui déchira la lettre avec la signature papale. Dépêchez-vous, et vous arriverez à temps pour le bateau. » Ce furent les dernières paroles qu'entendit le prêtre. Certes, ces paroles étaient prononcées dans une langue qu'il ne comprenait pas. Il eut des vertiges, il se sentit tomber, mais il parvint à s'agripper. Son cheval se mit en marche. Les deux serviteurs montèrent rapidement en selle et ils gagnèrent Borg, où attendait le bateau.

Une semaine plus tard, la délégation papale avait quitté l'Islande. De Lindisfarne, ils mirent trois semaines, à cheval, pour arriver à Londres. Pendant tout ce temps, Ugolin ne cessa de penser au regard impitoyable du pape. Il entendait aussi sa voix, rauque et grossière. La pensée du pape le remplissait encore de panique quand ils entrèrent dans Canterbury, au sud-est de Londres. L'archevêque les accueillit fort bien. Après leur avoir montré la belle cathédrale, l'archevêque déclara qu'il était obligé de leur annoncer une triste nouvelle. Ugolin pensa que cela concernait l'endroit qu'ils venaient de voir, où saint Thomas Becket avait été assassiné, en 1170. L'archevêque fit face à Ugolin, prit ses mains dans les siennes et le dévisagea. Il ne put éviter de remarquer le nez de travers d'Ugolin. D'une voix profonde, l'archevêque expliqua que le pape Grégoire IX était mort. Ugolin lui demanda de bien vouloir répéter ces paroles. Avait-il bien entendu ?

« Votre oncle, le pape Grégoire IX, est décédé. »

Ugolin ferma les yeux. Pendant quelques secondes, il resta plongé dans ses pensées. Ugolin n'était assurément pas dénué de talents, mais il n'en dépendait pas moins de la chance pour réussir dans la plupart de ses entreprises. Il rouvrit les yeux. L'archevêque déclara être impressionné par la force d'âme dont témoignait le prêtre après avoir appris cette funeste nouvelle. Ugolin demanda à l'archevêque s'il pouvait acheter un flacon du sang dilué de Thomas Becket. On disait qu'il faisait des merveilles pour accomplir toutes les formes de guérison. Le chemin jusqu'à Rome était encore long. Le navire qui les transportait se brisa sur les rochers de la côte anglaise. Les envoyés de pape se noyèrent avant que les secours ne leur parviennent. Ainsi s'achève l'histoire des trois émissaires que Snorri ne rencontra jamais.

Snorri regarda fixement la porte de Reykholt qu'il avait fermée. Comment avait-il cru qu'il lui serait possible de se mettre ainsi à écrire ? Mais que se passait-il donc ? Les hommes qui se trouvaient à l'extérieur des remparts étaient-ils partis vers Surtshellir ? Il était livide. Que lui voulaient-ils ? Il entrouvrit la porte d'enceinte avec précaution. Pourvu qu'ils n'aient rien fait à Margrete. Il ouvrit la porte en grand. Ils n'étaient pas là.

Il ferma les yeux, les rouvrit. Oui, il était bien réveillé. Son visage reprit des couleurs. Un oiseau se dandinait juste sous ses yeux. Il reconnut immédiatement un petit pingouin. C'était un bel animal. Il était rare d'en voir près de Reykholt, car ils restaient normalement près de la côte. Son bec était puissant, son ventre blanc, le reste de son corps noir. La tête était noire également avec une grosse tache blanche autour des yeux. Ses ailes étaient courtes, on aurait dit des nageoires qui ne cessaient de bouger. Il ne pouvait pas voler. Enfant, il avait ramassé des centaines d'œufs de pingouin à Oddi. Il avançait en zigzag, en titubant. Il lui arrivait aux genoux. Snorri sourit en voyant ses vains battements d'ailes. Il referma la porte. Avant de retrouver Kyrre, il voulait parler au prêtre. À pas paisibles, il se dirigea vers la petite église.

Margrete était sûrement rentrée chez elle. Rien ne les empêcherait de se revoir, n'est-ce pas ? S'il croisait Kyrre, il ne lui dirait strictement rien. Le garçon d'écurie ne parviendrait pas à déceler la moindre trace d'inquiétude en lui. Oui, il se contenterait de lui faire un signe de tête et de poursuivre son chemin. Pourquoi n'avait-il pas laissé entrer le pingouin ? Il redescendit à la porte, tira doucement le verrou et jeta un coup d'œil.

De la viande, songea Snorri. La prochaine fois que Margrete viendrait à Reykholt, ils mangeraient du pingouin.

« Allez ! Viens ! » cria Snorri.

Il poussa la porte à fond. Il entendit un cri. L'oiseau était coincé derrière la porte. Le pingouin se dégagea et lui donna un coup de bec sur la cuisse droite. Snorri regarda autour de lui. Était-ce un piège ? Non, le pingouin était seul. D'un seul coup d'épée, il aurait pu lui trancher la tête. Il ne serait resté que du sang et deux morceaux de chair et d'os. La bête était vraiment intrépide, et elle lui becquetait la cuisse avec toujours plus de vigueur. Snorri chercha à la chasser devant lui, en lui poussant la tête. Pourquoi l'animal refusait-il d'avancer ? À l'intérieur de Reykholt, il trouverait à manger. Le pingouin essaya de mordre Snorri à la cuisse gauche. Il s'écarta. L'animal rata son coup. Au cours d'une longue promenade, il avait étouffé un pingouin pour se procurer de la viande fraîche. C'était délicieux ! L'oiseau donna un nouveau coup de bec et, cette fois-ci, il toucha Snorri. Ce dernier lui tourna le dos. L'animal s'arrêta. Snorri se retourna doucement. Les yeux rivés sur Snorri, le pingouin le frappa droit entre les cuisses. Snorri cria et leva le bras droit. À cet instant, un nuage passa devant le soleil, et la silhouette de l'oiseau se fit plus nette encore. Snorri le serra dans ses bras. Il se débattit et décocha un coup de bec dans la joue de Snorri. Le pingouin était plus lourd qu'il ne l'avait pensé. Snorri franchit la porte en titubant et, de la jambe droite, il parvint à la refermer derrière lui. Si d'aucuns s'étaient imaginé qu'il allait se mettre à poursuivre le pingouin à l'extérieur des remparts, ils se trompaient.

Trois personnes se cachaient derrière l'église. Ils souriaient. Snorri réussit à porter le pingouin jusqu'à l'église, en tenant à deux mains la tête de la bête qui s'agitait. Snorri saignait de la joue.

L'oiseau lui donna plusieurs coups de bec. Snorri cria et chercha à le frapper, mais ses coups ne portèrent pas. Il tomba. Le pingouin, lui, commença à s'éloigner en se dandinant. Le chien fonça sur lui. L'oiseau lui fit face. D'un bond, le chien lui sauta à la gorge et ses mâchoires se refermèrent sur lui. L'oiseau tenta de le battre avec ses esquisses d'ailes. Il n'avait jamais volé. Peu après, il gisait à terre, immobile. Il mourut sans peur, de la même manière que devait disparaître le dernier pingouin, six cents ans plus tard. Le sang sécha vite sur la truffe grise du chien. Snorri jura et pesta contre le chien, qui contemplait ce repas possible en gémissant.

Snorri ne se releva pas. Il regarda en direction de l'église. Il entendit siffler quelqu'un. Il ne vit aucun signe de Kyrre. Il scruta l'église une fois encore. Les trois personnes se serrèrent l'une contre l'autre. Elles ne souriaient plus. Que se passerait-il si le vieillard les trouvait ?

Elles virent qu'il essayait de se mettre à quatre pattes. Il ne s'était pas cogné la tête, mais il se sentait sonné. Il ne voulait pas que quelqu'un le voie dans cet état. À peine s'était-il mis à quatre pattes qu'il retomba sur le côté. Il étendit la jambe droite, puis la gauche. Il écarta les bras. Ses hanches étaient raides. Il secoua la tête, se racla la gorge, regarda autour de lui. Devait-il appeler à l'aide ? Jamais de la vie !

Il soupira. Il ne s'était rien cassé. Pourquoi ne pas au moins s'en réjouir ? Il s'accroupit. Le sang battait dans ses tempes. Mais que lui arrivait-il donc ? Il sentit la sueur sur son visage et sous ses aisselles. Il avait le tournis. Finalement, il parvint à lever sa grande carcasse. Il titubait, mais il s'appuya au mur de l'église. Devoir porter et supporter ce corps aurait dû lui être épargné. Il avait déjà suffisamment à faire avec son crâne et son esprit.

Snorri hocha la tête. Les vertiges avaient disparu. Il contempla le pingouin sans vie. Le chien avait gâté la viande. Il lui fallait s'entretenir avec le prêtre, qui était certes bavard, mais qui savait beaucoup de choses sur les animaux. Il lui demanderait s'il ne trouvait pas étrange qu'un pingouin se soit égaré si loin de la côte. Au fil de la conversation, il lui demanderait s'il n'avait rien remarqué d'inhabituel. Si tout se déroulait correctement, il glisserait une allusion à Torkild. Et ce, sans afficher une mine soucieuse. Ni réjouie, d'ailleurs. Les mains dans le dos, Snorri monta l'escalier de la belle église. Sur la dernière marche, il reprit son souffle et tourna la tête. Son regard se dirigeait vers l'Eiriksjökull et le Langjökull avec ses énormes glaciers. Il espérait que Margrete était parvenue à passer sans encombre par ce chemin. Une souris descendit l'escalier à toute vitesse et disparut dans l'herbe jaunie. La porte n'était pas fermée à clef. Il l'ouvrit, entra et la referma derrière lui. Il n'y avait personne dans la nef, ni sur les bancs. Le prêtre se trouvait sûrement dans la pièce derrière la sacristie. Les deux chandeliers en argent et la nappe tissée par Hallveig étaient toujours à l'endroit où elle les avait placés. Dans un vase en argent, il y avait deux branches de sorbier, chargées de baies. Elles semblaient être là depuis plusieurs jours.

Était-ce un des hommes de l'étrange petite troupe qui avait amené avec lui le pingouin, pour s'en servir comme viande sur pied ? C'était une explication possible. Snorri resta un instant devant la sacristie. Il leva les yeux sur la sculpture en bois, le Christ en croix, avec la couronne d'épines et la tête penchée vers la gauche. Était-ce le prêtre ou Torkild qui avait sculpté cette figure si vivante avec la hache, le couteau et le ciseau ? Il étudia longuement la sculpture. Comment avait-il été possible de rendre une douleur telle avec ces outils morts ? À pas hésitants, il se dirigea vers la pièce de derrière. Après avoir ouvert la porte, il appela Arnbjørn, le prêtre. Il n'obtint pas de réponse. Rien n'est aussi silencieux qu'une église vide. Il redescendit la nef et tira la porte. D'un bond, il sauta de l'escalier et atterrit sur le pied droit. Sa cheville encaissa tout son poids, il tituba et tomba en avant. Les bras écartés, son ventre heurta le sol en premier, puis son front. Il entendit des rires. Il tourna la tête.

Ainsi, ils étaient là ! C'était Gyda qui riait. Kyrre lui mit la main devant la bouche. Le garçon qui aidait Kyrre à l'écurie était également présent. Snorri ne le connaissait pas. Le gamin avait peut-être quinze ans. À chaque fois qu'il le voyait, ce dernier rougissait.

Snorri se rappelait bien la dernière fois qu'il avait vu Kyrre avec ce garçon blond. Il rentrait de Borg, à cheval. Devant les remparts de Reykholt, il avait aperçu quatre chevaux et deux hommes jeunes. Il était passé du galop au trot avant de s'immobiliser et de se dissimuler derrière des buissons. Au début, il n'en avait pas cru ses yeux. Deux des chevaux avaient des cornes accrochées sur la tête. Ils se donnaient des coups jusqu'au sang ! Ses chevaux, à lui ! Deux de ses meilleurs étalons. Il avait écarté les branches de la main droite et lancé sa monture au galop. Cette fois-ci, Kyrre et le garçon n'avaient pas eu le temps de s'enfuir. Il avait reconnu les deux autres chevaux, des juments attachées. La vue et l'odeur des juments poussaient les étalons à se battre à mort. Pris sur le fait, le garçon s'était mis à genoux, tête baissée. Il s'attendait à être battu. Kyrre était resté debout, prenant la faute sur lui. Snorri lui avait ordonné de se taire et de séparer les deux chevaux écumants. Le garçon s'était relevé et avait couru jusqu'aux juments qu'il avait d'abord éloignées avant de les attacher à un pieu. Si Sleipnir avait été l'un des deux étalons ensanglantés, Snorri ne se serait pas contenté de pleurer.

Kyrre et le garçon vinrent porter secours à Snorri. Snorri se releva en se tenant au bras de Kyrre. Dès que Snorri fut debout, Kyrre marcha à ses côtés. Pourquoi une telle attention de sa part ? D'aucuns éprouvent de la pitié pour ceux qui attendent le bourreau. Kyrre était au courant des rumeurs. Gyda lui avait tout raconté.

« Mais qu'est-ce qui vous fait rire ? » cria Snorri.

Ils baissèrent la tête. Il voulut demander à Kyrre pourquoi les gens se cachaient. Que craignaient-ils ? Combien y avait-il encore de personnes au domaine ? Il observa les deux autres idiots. Allait-il demander au garçon d'écurie ce qui se tramait dans son propre domaine ? Non, évidemment. Le jeune garçon regarda sa main qui tenait le pingouin par le cou. Snorri dit à Kyrre de ne pas bouger. Il parlerait aux autres plus tard. Kyrre avait l'air sûr de lui. Il affichait une force que Snorri n'avait encore jamais vue chez lui. Kyrre répondit qu'il devait partir. Snorri lui ordonna de ne pas bouger. Les autres restèrent aussi, pour voir ce qui allait arriver à Kyrre.

« Mais dis-moi ce qui vous faisait rire ! » hurla Snorri.

Snorri essaya d'attraper Kyrre par sa chemise, mais ce dernier se dégagea et fit un bond sur le côté. Gyda, elle, ne fut pas assez vive. Snorri la retint avec ses deux bras. Il était rouge de fureur, il passa un bras autour du cou de Gyda et se mit à serrer. Gyda devint livide. Ses jambes flanchèrent, elle eut le souffle coupé. Aucun cri ne sortit de ses lèvres. Elle tomba tête la première, en entraînant Snorri. Tous entendirent le bruit de son crâne qui heurtait le sol. Snorri était lourdement étalé sur elle. Il parvint à ramper sur le côté et à se mettre à genoux. Gyda ne respirait pas. Il lui donna une gifle. Elle ne bougea pas. Il la gifla encore. Ses paupières ne s'ouvrirent pas. Il se mit à lui crier dessus. Kyrre était blanc comme un linge. Le jeune garçon ne le lâchait pas. La bouche de Gyda était ouverte. Snorri avait-il tué la servante ? Il regarda les yeux clos. Il la secoua et se tourna vers les deux autres.

« Eh bien, faites quelque chose ! »

Kyrre écarta les bras. Le garçon se cacha derrière lui. Snorri se pencha sur Gyda et tendit l'oreille. Peut-être respirait-elle, malgré tout ? De toute sa vie, il n'avait jamais tué personne. Et là, il avait tué une infirme, une jeune fille sans défense, et ce à deux pas de sa porte. Toujours à quatre pattes, il contempla la jeune servante. Les autres s'approchèrent d'un pas. Il ferma les yeux et entendit son souffle lourd. Il cria. Il ouvrit les yeux en grand. N'était-ce donc pas une larme qui perlait sous une de ses paupières ? Et une autre. Plusieurs montèrent sous l'autre paupière. Il secoua Gyda. Il se pencha sur elle et de ses gros doigts appuya sur ses yeux.

« Ranimez-la ! »

Gyda n'avait pas osé ouvrir les yeux de crainte de voir

le visage de Snorri, son regard furieux, et de sentir son haleine. Le vieil homme finit par se lever à grand-peine. Là, elle ouvrit les yeux. Kyrre bondit jusqu'à elle, il s'accroupit et écarta doucement les cheveux qui couvraient son visage. Snorri l'observa, fit un signe de tête et sécha ses larmes. Tout en pestant, il retourna à la maison principale sans se retourner, il ouvrit la porte et franchit le seuil. Il jeta un coup d'œil dehors. Il vit que les garçons soutenaient Gyda entre eux. Elle boitait plus que d'habitude. Il arpenta la pièce avant de regarder à nouveau. Peut-être devait-il demander à Kyrre où se trouvait le prêtre ? Sa question serait compréhensible. Ils venaient juste de le voir à l'église. En outre, cela donnerait l'impression que le seigneur avait encore la maîtrise de lui-même et l'autorité sur ce qui vivait au domaine. À son avis, il était judicieux de maintenir le contact avec le prêtre. Il pouvait espérer qu'il serait ainsi plus difficile à Arnbjørn de parler des tunnels secrets dont il lui avait révélé l'existence. C'est du moins ce qu'il escomptait.

D'ailleurs, quelques semaines plus tôt, Snorri avait surpris Arnbjørn dans une situation inconfortable. Snorri s'était absenté plusieurs jours afin d'inspecter Bessastadir, où on l'avait informé de l'état et de la santé du bétail. Le temps avait été favorable, et le voyage de retour plus bref qu'il ne l'avait prévu. Il était rentré vers minuit dans la maison de maître, sans se faire remarquer. Le lendemain matin, de bonne humeur, il s'était engagé dans le passage souterrain qui conduisait au bassin. Cette nouvelle journée s'annonçait belle, « du genre où l'on met un pied devant l'autre avec vigueur », se dit-il. Il se réjouissait déjà à l'idée de s'allonger dans l'eau.

À l'instant où il allait pousser la porte qui donnait sur

le bassin, il s'immobilisa, devinant la présence de quelqu'un. Il entrouvrit la porte. Un homme essayait de s'extraire du bassin. De toute évidence, l'homme l'avait entendu venir. Sa peau était blanche, presque grise aux yeux de Snorri. Sur le coup, il ne comprit pas de qui il s'agissait. Jamais il n'avait vu d'homme plus nu que celui-ci. Le prêtre lui faisait face dans toute son imperfection, résigné et pris par un regard aussi impitoyable que méprisant. Le paysage du domaine entier se reflétait dans ses yeux marron. Ses mains étaient maigres et pâles, et pas aussi grises que le reste de son corps. Ils n'avaient rien à se dire, ni Snorri ni Arnbjørn qui baissait les yeux. Son visage s'ornait d'une moustache blonde et clairsemée. On aurait dit que la vie en avait lavé la moindre expression. Normalement, le visage semblait créé pour pouvoir se dissimuler, telle une mince cloison faite d'un réseau de veines livides où toutes les pensées frivoles et superflues pouvaient circuler sans entrave, jusqu'au moment où il lui fallait rassembler ses esprits pour la prière suivante.

Arnbjørn avait cru qu'il pourrait s'en tirer à bon compte. Ses yeux ressemblaient à des cratères. Et sur ses traits ridés s'esquissait ce qui ne pouvait être qu'un sourire narquois. Quelques maigres poils sortaient de sa poitrine, de marques de naissance, de son nez et de ses oreilles. Ses oreilles semblaient rapiécées à sa tête. Tous ces détails se faisaient plus perceptibles à mesure que la rougeur de sa peau disparaissait de son corps, comme si elle se vidait dans l'herbe et le sol, à mesure que sa pâleur reprenait le dessus. Le regard de Snorri le figeait net. Arnbjørn restait planté là, sans même faire mine de vouloir récupérer ses vêtements et se rhabiller. Il attendait que Snorri prenne la parole. Le prêtre commençait à attraper froid. Au-dessus du bassin, le ciel formait une voûte, avec sa géographie de nuages et de continents mouvants. Snorri vit une oie cendrée approcher du bassin. Arnbjørn, lui, parvint à peine à distinguer une ombre fugace avant que celle-ci ne disparaisse en direction de l'enclos des chevaux.

Snorri reposa les yeux sur le prêtre. De la fiente jaunâtre et grise coulait des cheveux sur les sourcils, la barbe et l'épaule du prêtre. Ce dernier leva la main droite pour l'essuyer.

« Tu as peut-être remarqué d'où venait la merde ? » demanda Snorri.

Sans espérer de réponse, il tourna les talons et rentra en hochant la tête. Son bain attendrait. Le prêtre ne bougea point. Après quelques pas dans le tunnel, un sourire s'élargit sur les traits de Snorri. Même si, à juste titre, il n'aimait guère le prêtre, il n'aurait jamais pu imaginer que, deux jours plus tard, Arnbjørn le trahirait de la manière la plus brutale, sans même prononcer ne fût-ce qu'une seule prière.

Snorri passa la main sur son visage, s'éclaircit la gorge et s'assit à sa table de travail. Devait-il mentionner le prêtre, d'un seul mot ? À peine s'était-il tassé contre le dos de son siège, il se releva. Il voulait enfiler la veste brune avec une ceinture et ses parements de fourrure. Le col et les poignets étaient garnis de renard.

Il était dommage que nul ne puisse le voir. Là, il était vraiment élégant, et non trop apprêté, comme lors de la visite de Margrete. C'était maintenant qu'il devait écrire sur Oräkja. Il avait assez réfléchi. S'était-il montré injuste avec Arnbjørn, au bord du bassin ? Quand il le reverrait, il lui proposerait de faire une partie de *hnefatafl*, ce jeu stratégique, la Table du roi. Le prêtre adorait jouer au *hnefatafl*.

Arnbjørn lui en avait offert un. Lors de leurs parties, Arnbjørn lui avait proposé de commencer avec le grand nombre de pions, pour s'attirer ses bonnes grâces. Pour Snorri, il n'existait rien de plus ennuyeux que le jeu. Le monde l'occupait déjà amplement. La première année, Snorri était convaincu que le prêtre n'était aucunement malveillant.

Le lendemain de l'épisode embarrassant près du bassin, Arnbjørn lui avait demandé s'il connaissait Ottar. Puis il avait demandé à Snorri si, à son avis, il y avait eu un auteur de sagas plus important que lui auparavant. Snorri lui avait lancé des regards interrogateurs, comme s'il ne comprenait pas le sens exact de ces questions. Snorri connaissait tout de même bien Ottar? insista le prêtre. « Ottar, l'homme qui avait vécu plus au nord que tous les hommes du Nord », l'homme qui était entré dans la mer Blanche, avant de suivre la côte norvégienne jusqu'à Skiringssal, dans le Vestfold, il y avait de ça quatre cents ans. Snorri ne répondit pas. Car, oui, évidemment, Snorri savait qu'Ottar était allé à Hedeby, qui se trouve dans ce que nous appelons aujourd'hui le Schleswig-Holstein, avant de se rendre en Angleterre où il était entré au service du roi Alfred le Grand. Alors, comme ça, Snorri ne considérait pas Ottar comme un grand historien? Était-ce pour se mettre en valeur qu'il tenait de tels propos? Avant même que Snorri n'ait eu le temps de répondre, Arnbjørn lui demanda pourquoi il n'avait pas mentionné les voyages d'Ottar dans ses œuvres. Snorri ignorait-il que le roi Alfred avait fort bien accueilli Ottar, et qu'il avait fait inclure les textes d'Ottar dans sa traduction d'Orose, l'historien du Ve siècle? Snorri ne pouvait tout de même pas nier que le roi anglais aurait trouvé insensé qu'une histoire du monde eût ignoré ce qui s'était passé au nord des Alpes ?

Snorri demanda à l'homme d'Église s'il n'était pas l'heure de se préparer pour complies. Arnbjørn n'avait pas oublié que certains attendaient la dernière heure de l'office du jour, n'est-ce pas ? Snorri ne laissa pas au prêtre le temps de répondre, il lui rappela que l'on attendait également d'entendre les vêpres chaque jour à l'église de Reykholt. À l'origine, saint Benoît de Nursie avait déclaré qu'il fallait pratiquer six offices par jour. C'était peut-être le maximum, mais Arnbjørn devait bien parvenir à en célébrer au moins trois ?

Le prêtre se garda bien de se lever.

Ses paroles sortaient comme s'il devait les remâcher une fois encore dans sa bouche avant qu'elles ne quittent ses lèvres. Arnbjørn vivait seul, et quand, enfin, il trouvait quelqu'un à qui parler, il ne voulait surtout pas laisser passer l'occasion.

Snorri se sentait fatigué. Mais il fut pleinement réveillé lorsque Arnbjørn lui demanda s'il était vraiment allé à Re, là où se déroule la scène finale de la *Heimskringla*. Il déclara qu'il n'était pas davantage allé à Stiklestad, même s'il était passé tout près. Il n'avait pas eu envie de voir l'endroit où saint Olaf avait rendu son dernier soupir. Snorri ajouta qu'il trouvait qu'il se faisait tard. Arnbjørn ne saisit pas l'allusion.

« Je veux être seul », dit Snorri.

Le prêtre gagna la porte à pas vifs, il l'ouvrit et se dirigea vers l'église sans se retourner.

Snorri se mit à songer à ce que seraient ses dernières paroles, en ce bas monde. Celles qu'il avait placées dans la bouche de maints grands hommes de la *Heimskringla* ne manqueraient-elles pas de susciter bien des attentes en ce qui concernait les siennes ? Juste avant d'être décapité, Erling Skjalgsson avait déclaré : « C'est face à face qu'il convient de griffer les aigles. » C'est du moins ce que Snorri avait écrit. Il ne fallait pas oublier Sigurd, le jeune Viking de Jomsborg, fils de Bue Digre, qui avait dit : « Tous les Vikings de Jomsborg ne sont pas encore morts ! » Tormod Koldbrunarskald avait arraché la flèche de sa chair avec ces mots : « Le roi nous a bien nourris, car j'ai encore de la graisse autour de mon cœur ! » Pouvait-on dire mieux ?

Snorri prit ce qu'il lui fallait pour écrire. La plume à la main, il laissa son regard glisser sur certaines de ses œuvres. Il fut agacé de ne pas avoir sous les yeux les lais des neveux du roi Sverre, le roi Inge Bårdsson et le jarl Håkon Galen. Le jarl avait été fort content. Pour cela, Snorri avait reçu épée, écu et cotte de mailles, et une invitation à venir en Norvège. Mais le jarl était mort, et le voyage remis à plus tard. Tout avait commencé là. Écrire des poèmes pour les princes. Il avait été nommé dans les fonctions d'homme qui dit la loi à l'Althing, et avait donc dirigé l'assemblée. Il cessa d'écrire. Mais après une première période de trois ans, il était parti pour la Norvège. Dans un sac imperméable, il avait le *Háttatal*, variations sur les cent et un mètres anciens de la poésie scaldique, comme cadeau pour le roi Håkon. Håkon Håkonsson venait d'être couronné, et le jeune homme dirigeait le pays avec le jarl Skule. Snorri fut bien accueilli. Le premier hiver, il composa des poèmes pour les chefs de Tønsberg. Quelle atmosphère ! L'été suivant, il se rendit auprès de Kristin, la veuve de Håkon Galen. Il lut et déclama pour elle avec force et intuition, et fut récompensé par maints cadeaux somptueux. C'était il y a plus de vingt ans.

De là, il partit à Konghelle, afin de voir les lieux où Jon Loptsson avait grandi. Avec son père, Jon avait assisté à l'attaque de Konghelle par les Vendes, en 1135. Le roi Sigurd Jorsalfari y avait également vécu. Snorri voulait voir le plus de choses possible. Quelques mois auparavant, il avait accepté l'offre du jarl Skule. Après avoir entendu Snorri inventer et déclamer de la poésie, le jarl lui avait proposé d'écrire la saga des rois de Norvège. De Konghelle, Snorri fit voile jusqu'à Nidaros. Du bateau, il vit le Hafrsfjord, et le paysage plat avec les collines des Ryfylkeiene qui s'élevaient à l'arrière-plan. À Nidaros, il rédigea presque l'intégralité de son ouvrage historique. L'été suivant, il en poursuivit la rédaction à Bjørgvin, qu'il acheva en Islande. À Bjørgvin, il reçut d'autres cadeaux de valeur, dont le siège décoré d'argent sur lequel il était assis en cet instant. Et c'était à Bjørgvin qu'il avait prêté le serment qui devait sceller son destin. Le roi Håkon lui avait donné le titre et le rang de *lendmann*, le plus élevé parmi les chefs norvégiens, à condition qu'il amène l'Islande sous la tutelle de la couronne de Norvège et de ses lois.

Il lui fallait consigner ses rencontres avec le roi Håkon. Il s'en souvenait encore. Par chance, il possédait une mémoire excellente.

La première fois que Snorri vint en Norvège, le roi Håkon avait quinze ans. C'était en l'an 1220. À chaque fois que le jeune monarque déclarait quelque chose, il se tournait ensuite vers le jarl Skule pour s'assurer qu'il n'avait pas dit de bêtise. Snorri avait noté les boucles blondes de sa chevelure, et le duvet qui pointait au-dessus de sa lèvre. Mais le roi ne lui avait pas fait forte impression. Il n'était pas antipathique, mais, d'une certaine façon, il était invisible, dans la mesure où il donnait l'impression de n'être que l'ombre de Skule. Au début de la rencontre avec Håkon, Snorri s'était efforcé de se montrer patient et courtois. Après tout, le gamin était roi. Snorri lui expliqua toujours ce qu'il avait déjà discuté et décidé avec Skule. Peu à peu, Snorri et Skule avaient ignoré Håkon. Plus le temps avait passé, moins ils avaient tenu compte du roi. Le garçon avait de moins en moins pris la parole, pour finir par ne plus rien dire du tout. Skule détenait le pouvoir. Et c'était avec lui que traitait Snorri.

Dès la naissance de Håkon, le roi Inge Bårdsson l'avait désigné comme héritier et futur roi, et l'avait élevé à la cour. Même après que Håkon eut été déclaré roi à l'Øreting, Skule, le demi-frère de Inge, ne l'avait jamais véritablement reconnu comme tel. D'une manière formelle, il le traitait comme roi, le contraire aurait été impossible. Skule fut nommé tuteur de Håkon, gouverneur du royaume, avec la main sur un tiers des terres et des impôts.

Snorri et Skule aimaient à deviser d'historiographie, à s'entretenir de Suétone, de Filippus Simonsson, qui n'était roi qu'en titre, et des règles de poésie scaldique, sujets auxquels le roi de quinze ans n'entendait pas un mot. Håkon marchait derrière les deux hommes, et se contentait d'écouter. Une fois, le roi demanda à Snorri si celui-ci savait que son fils Jon était né la même année que lui, en 1204, l'année où les croisés avaient pris Constantinople.

Même si le clan des Ribbunge, qui briguaient le pouvoir, s'était soumis au roi Håkon en 1227, Snorri s'adressait toujours à Skule. Cette situation ne changea pas, même si Håkon avait épousé une des filles de Skule, et même si, pendant un temps, les relations entre le roi et le jarl furent bonnes. Håkon comprit très tôt que Skule nourrissait l'ambition de devenir roi. En 1237, Håkon lui donna le titre de duc. Mais cela n'affaiblit pas les projets de Skule. Deux ans plus tard, la guerre ouverte entre les deux hommes était un fait. Skule prit le titre de roi à l'Øreting. L'ultime bataille eut lieu près du monastère d'Elgeseter, en 1241. Le duc mordit la poussière. L'homme qui avait gouverné la Norvège, avec une grande habileté, était mort. Et, une fois seul, Håkon ne régna pas plus mal pour autant.

Snorri n'eut pas l'occasion de connaître tous les succès du roi. Håkon promulgua des lois contre les meurtres au sein des grandes familles, il fit bâtir des églises et des châteaux à Oslo et à Bergen, il fonda Marstrand, et Ragnhildarholm près de Konghelle, il signa le premier traité commercial avec la ville hanséatique de Lübeck, et un traité avec Novgorod afin d'assurer la paix au Nord. Son influence était connue dans le monde entier. Un chroniqueur anglais écrivit que Louis IX, le roi de France, lui offrit le commandement de la flotte des croisés français, et que le pape voulait qu'il fut empereur germanique, car l'empereur du moment, Frédéric II, cet hérétique, devait être éliminé par tous les moyens.

C'est seulement après sa deuxième entrevue privée avec Håkon que Snorri se rendit compte de la manière dont il était perçu par le roi. Vingt ans s'étaient écoulés entre les deux rencontres. Et là, ce fut Håkon qui prit la parole et mena la conversation.

Lorsqu'il arriva à Bjørgvin en 1239, Snorri comprit que l'équilibre des pouvoirs avait radicalement changé entre Håkon et Skule. De toute évidence, le nouveau titre de duc de Skule ne signifiait rien. Snorri arrivait juste de Nidaros, où il avait résidé chez Peter, le fils de Skule.

« C'est un bien beau navire que tu as là. C'est un cadeau de Skule ? » Ce furent les premières paroles du roi. « Je veux te parler seul à seul. Nous allons sortir chasser.

– Le duc Skule ne devrait-il pas nous accompagner ? demanda Snorri, sans parvenir à dissimuler son inquiétude.

– Il a des devoirs à remplir », répondit le roi, tandis que Skule détournait le regard.

Snorri pensait commencer sa relation de sa visite au roi adulte par une description du visage de Håkon. Il n'avait plus un duvet au-dessus de la lèvre supérieure, mais une fine moustache frisée sous des grands yeux vifs. Sa barbe était rasée. L'homme de trente-cinq ans arborait les mêmes boucles blondes que l'adolescent de quinze. La rencontre eut lieu un an avant que la guerre ouverte n'éclate entre le roi et Skule.

« Ce serait un honneur, mais je n'ai jamais goûté la chasse. »

Le roi l'interrogea du regard.

« En outre, je souffre malheureusement du dos et des jambes, elles ont enflé...

– Dans ce cas, nous nous retrouverons au monastère de Munkeliv, déclara Håkon, puis nous irons inspecter un bateau de commerce qui vient d'arriver de Lübeck. Un peu d'air marin ne peut pas faire de mal à un scalde, n'est-ce pas ? »

Alors que Snorri se demandait ce que le roi voulait lui dire le lendemain, Håkon ajouta qu'ils ne manqueraient pas de festoyer ensuite. Le sérieux avec lequel cette invitation fut prononcée poussa Snorri à le remercier. Le roi se retourna et s'en retourna à son trône. Snorri regarda dans la direction de Skule. Son vieil ami pouvait tout de même bien rester pour parler avec lui ? Le regard de Skule passa de Snorri à Håkon. Le roi pria Skule de le suivre. Ils avaient d'importantes questions à traiter, ajouta Håkon. Skule lança un regard indécis à Snorri. Håkon tendit les bras vers Skule, avec un grand sourire, comme s'ils étaient les meilleurs amis. Snorri s'attendait à ce que Skule décline l'invitation du roi. Ce ne fut pas le cas. Tel un chien obéissant, Skule suivit son beau-fils, sans même adresser un seul signe de tête à Snorri. Le duc ne vint pas davantage le trouver avant sa rencontre avec le roi, le lendemain. Snorri arriva au monastère à l'heure convenue. Le roi Håkon était déjà là. Seul. Snorri regarda prudemment alentour, pour voir s'il y avait des gardes.

« Tu cherches quelqu'un ? s'enquit le roi.

– Non.

– J'ai appris que tu es allé voir l'endroit où Lille-Jon a été tué. »

Snorri ne parvint pas à répondre.

« Je voulais simplement te dire combien de compliments j'ai entendu à propos de ton fils. »

Cette amabilité surprenante fit passer un voile de doute sur les traits de Snorri. Le roi s'exprimait sur un ton d'un formalisme inhabituel, et il marquait des silences entre chaque mot.

« Il jouait un grand rôle pour renforcer les liens entre nos deux pays », ajouta le roi.

Snorri laissa s'écouler un long moment avant de dire :

« J'ai ouï dire que tu as épousé Margrete, la fille de Skule, n'est-ce pas ?

– Cela fait seize ans », répondit Håkon en souriant. Puis il dit : « Tu aimes ce prénom ? »

Snorri regarda fixement le menton du roi dépourvu de barbe. La question était plus que gênante. Était-il au courant de sa liaison avec sa Margrete ? Ce n'était pas impensable.

Snorri répondit du ton le plus détaché :

« C'est un très beau prénom. Mais pourquoi as-tu envoyé contre moi mon neveu et mon frère, il y a deux ans ? Et pourquoi m'as-tu demandé de venir ? »

Le roi se tourna vers Snorri, s'approcha de deux pas et se planta en face de lui.

« Tu entends toi-même à quel point tes mots sonnent creux. Tu as accepté de l'argent et un titre sans remplir tes devoirs et tes obligations. Nous avons passé un accord, il y a vingt ans. L'Islande sera une partie de la Norvège, que tu le veuilles ou non.

– Sighvatr et Sturla ont essayé de me tuer.

– Je leur ai demandé de te ramener ici vivant, c'est différent. Mais puisque nous parlons d'assassinat : je suis en train de faire promulguer une loi nouvelle à l'Øreting. Une loi qui interdit le meurtre au sein des familles. Ce serait fort utile en Islande, n'est-ce pas ? La bête de proie ne tue qu'en cas de besoin. Il ne me semble pas que ce soit le cas chez vous. »

Snorri aurait volontiers créé un nouveau firmament afin d'y disparaître. Il ne bougea pas. Rien n'est plus surprenant que le mutisme chez un homme qui a toujours eu beaucoup à dire. Même s'il n'apercevait ni garde ni serviteur du roi, il ne doutait pas qu'ils étaient tout proches. Comme toujours, il pensait que ses talents d'orateur et son expérience allaient le sauver. Cette assurance irrita le roi. L'homme en face de lui mourrait dès qu'il en donnerait l'ordre. Supporter sa propre suffisance est une chose. Mais supporter celle des autres !

« Jusqu'à maintenant, tu n'as rien fait de ce que tu avais promis. Tu m'as toujours sous-estimé. Ce sera un souci plus grand pour toi que pour moi. J'ai toujours compris ce que vous tramiez, toi et Skule. Mais ces temps sont révolus. Si tu souhaites réellement mon amitié, dis-moi ce qu'il y a de vrai dans les rumeurs qui courent, selon lesquelles Skule aurait l'intention de se proclamer roi ?

– Comment pourrais-je répondre ? Tu m'as interdit de lui parler en tête à tête.

– Serais-tu un lâche ?

– Je laisse à d'autres le soin d'en juger, mais je suis ici sans armée et sans arme. »

Le roi se demanda si le scalde mesurait vraiment qui maîtrisait la situation. Il inspira profondément et nota que l'homme en face de lui avait beaucoup vieilli. Ses mouvements et ses gestes étaient lourds et lents. La dernière fois qu'ils s'étaient rencontrés, il avait étudié tous les détails de l'allure du scalde et du chef dont il avait tant entendu parler. Il avait éprouvé un immense respect pour Snorri, trop même pour s'offusquer d'être ignoré par lui. Mais Snorri avait beaucoup grossi, et négligeait son apparence. Snorri ne s'était pas taillé la barbe, il ne portait pas ses plus beaux habits. Ça encore, le roi était prêt à ne pas y accorder trop d'importance. En revanche, le manque total d'humilité l'insupportait. Snorri ne comprenait-il donc pas qu'il avait quitté l'Islande par miracle, et vivant qui plus est ? Se croyait-il donc immortel ? Ne saisissait-il pas qu'il était simplement en sursis ? Le roi se pencha vers Snorri, le regarda droit dans les yeux, il sourit et dit d'une voix faussement amicale :

« Et comment se porte ton fils, Orækja ? »

Un bref silence.

« J'ai entendu dire qu'il faisait un pèlerinage à Rome. Il en a assurément besoin. Je me souviens d'avoir condamné Sturla à effectuer un pèlerinage pour qu'il se montre moins brutal. Il a été chassé à coups de fouet d'une église à l'autre, jusqu'à Rome, sans le moindre effet. Je n'ai pas entendu parler d'Orækja ces derniers temps. Est-il toujours de ce monde ? »

Snorri se tassa dans son siège, à la recherche d'une position confortable. Il leva le nez de sa table. Il réfléchit, avant de répéter les paroles du roi. Comme si ce dernier ignorait si Orækja était encore en vie. Snorri se souvint qu'il avait failli demander au roi s'il avait bien conscience de ce que Sturla avait fait à Orækja. Il n'avait rien dit. Il ne voulait pas montrer de sensiblerie face au roi. La lâcheté et la férocité de Sturla Sighvatsson seraient couchées par écrit. Si lui, Snorri, ne le faisait pas, cela serait oublié d'ici quelques années.

En septembre 1237, Sturla et Sighvatr avaient rassemblé une armée considérable afin de prendre Reykholt. Sturla, le neveu de Snorri, était à la tête, mais Sighvatr soutenait son fils de tout son cœur. Ils seraient les chefs incontestés d'Islande. Trahir leur frère et leur oncle ne les gênait pas. Au contraire, le fait qu'ils agissaient pour le compte du roi Håkon leur donnait encore plus de force et de détermination. Le roi en avait assez des échappatoires de Snorri.

En quatre jours, Orækja avait rassemblé une armée de six cents hommes, et il avait foncé à bride abattue vers

Reykholt. Il avait laissé la quasi-totalité de sa troupe à Saudafjell, et s'était rendu à Reykholt avec sept hommes. Là, Snorri conférait avec son frère Thordr et d'autres chefs. Orækja avait proposé qu'ils se mettent en marche tout de suite vers le nord, et combattent Sturla. Nul ne l'avait écouté. Son père y compris. Thordr et les autres chefs s'étaient déclarés prêts à aider Snorri à condition « qu'Orækja ne se mêle de rien ». Snorri avait remercié son fils pour son intérêt, et lui avait demandé de rentrer chez lui. Orækja avait demandé si c'était vraiment là la volonté de Snorri. Son père avait acquiescé de la tête. Orækja était sorti sans adresser un regard à personne. À peine Orækja était-il parti que Snorri et Thordr tombèrent d'accord. Snorri allait abandonner Reykholt et Thordr s'y installerait jusqu'à nouvel ordre. Peut-être cette manœuvre pousserait-elle Sturla et Sighvatr à se tenir à l'écart de Reykholt ?

Snorri partit vers le sud, dans la direction opposée à celle prise par son fils. Il se réfugia à Bessastadir. Sturla entra dans Reykholt et prit possession du domaine. Thordr laissa faire. Orækja avait crié que son père devait comprendre que Sturla et Sighvatr agissaient sur ordre du roi de Norvège. Ils allaient le tuer ! C'était la seule fois où son fils avait mieux saisi la situation que lui. Ça, il n'avait pas besoin de l'écrire. Orækja s'était rendu dans l'Isafjord pour équiper une flotte. Snorri avait fui encore plus à l'est. Sturla avait aisément remporté sa bataille contre Orækja, mais il lui avait fait grâce de la vie. En même temps, il avait ordonné à son cousin d'abandonner les Vestfirdir pour toujours et de s'installer à Stafaholt. En outre, Sturla prenait possession de Reykholt et de toutes ses terres, et il avait exigé qu'Orækja souscrive à une paix sans condition.

Orækja avait accepté toutes ces exigences, afin de ne pas rendre la situation encore plus difficile pour son père. Enfin, Sturla avait ordonné à Orækja de le rejoindre près de Rangarvellir, quelques jours plus tard.

Orækja était sur place à l'heure dite. Le Diable lui-même aurait-il donné rendez-vous à Orækja, celui-ci aurait été ponctuel. Là, c'était son oncle Sighvatr qu'il devait retrouver. Orækja attendit son oncle avec ses sept hommes. Nul ne vint. La nuit commença à tomber. Orækja finit par rentrer en empruntant le chemin par lequel il était venu. Il devait être prudent avec son cheval sur le terrain accidenté. Il tenait un flambeau dans sa main droite. Il héla plusieurs fois son oncle. Parfois, il entendit l'écho de sa propre voix, d'autres fois, ses cris se perdirent dans les ténèbres. Vers minuit, alors qu'il s'assoupissait sur son cheval, plusieurs hommes surgirent de l'obscurité et le firent tomber de sa monture qui se cabra. Orækja tenta de tenir le flambeau de la main gauche afin de pouvoir prendre son épée. On le frappa derrière la tête et il chuta. Il se releva un moment plus tard, tout étourdi.

Sturla tenait le flambeau. On chassa son cheval. Aucun des soldats d'Orækja n'opposa de résistance. Ils se laissèrent lier les mains dans le dos, sur l'ordre d'Orækja. Toute la nuit, Sturla, ses hommes et leurs prisonniers traversèrent des champs et des marais, ils contournèrent des fjords, ils passèrent à travers des broussailles et des taillis. Orækja ne cessa pas de demander où ils se rendaient. Sturla ne répondit pas. À la lueur des flambeaux, Orækja vit que le visage de son oncle se fermait un peu plus chaque fois qu'il posait la même question. Il finit par se taire lui aussi. Il reconnut d'abord un chemin, puis il vit un gros rocher qui, dans son enfance, lui faisait penser à un morse. Orækja s'approchait de Reykholt.

C'était à cet endroit que Sturla et Orækja, enfants, avaient observé les inondations, un jour de printemps tardif. Les eaux de la Hvitá emportaient tout sur leur passage en descendant la vallée de Reykholt. Sturla et Orækja avaient escaladé les flancs de la montagne pour dénombrer les malheurs qu'apportait l'inondation. Perchés en hauteur, ils avaient vu arriver une vache. Elle avait une oreille marron et une autre blanche, et de grands yeux. Orækja pensait que la vache dormait quand le flot était arrivé. Elle avait senti l'eau lui battre les côtes et avait pris peur en tentant de regagner la grange. Elle avait certainement été prise de crampes, très vite, et s'était mise à meugler. Ils en avaient parlé avec du chagrin dans la voix tandis que la vache était passée devant eux, avant d'être entraînée dans le tourbillon, pattes en l'air, et de disparaître avec des arbres, des buissons et des masses de terre.

Sturla et Orækja arrivèrent à Reykholt au matin. On fit tomber les prisonniers de cheval, et ils furent conduits à la forge de Torkild. Sturla ordonna de déshabiller les hommes. Les mains liées dans le dos, ils furent exhibés dans Reykholt. On leur jeta des pierres, des outils et même des restes de nourriture, tandis que les insultes pleuvaient. Le jeune charron, qui connaissait Orækja depuis tant d'années, lui fit un croc-en-jambe. Sturla se précipita pour le relever en le tenant par la corde autour de ses poignets. Orækja ne demanda pas grâce ni ne se plaignit, cela n'apaisa aucunement la fureur de son cousin. Sturla ordonna à sa troupe de pousser les sept hommes nus d'Orækja jusqu'à ce que le soleil soit haut dans le ciel.

« En ce qui concerne Orækja, je vais le conduire à un

endroit que ni lui ni moi n'avons oublié depuis que nous sommes petits. » Il s'exprima suffisamment fort pour que tous puissent l'entendre. Il ordonna à deux de ses hommes, Svein et Teitur, de le suivre. Ils mirent Orækja sur son cheval. La troupe sortit de Reykholt avec Orækja qui tressautait sur le dos de sa monture, derrière le cheval blanc de Sturla. Au début, Orækja ne saisit pas où ils allaient. Puis il le comprit trop bien. Il se mit à transpirer. Un instant où personne ne le regardait, il se laissa tomber, tête la première. Svein le ramassa et l'attacha à la selle. Ils allaient à Surtshellir. Quand ils étaient enfants, Sturla avait maintes fois menacé de l'enfermer dans la trouée noire, la fosse terrifiante.

Une fois arrivés, à la plus grande surprise d'Orækja, Sturla repartit seul vers Reykholt. Ce qu'il avait envisagé n'allait-il donc pas arriver ? Pourquoi ? Dès que Sturla disparut, on fit descendre Orækja de cheval et on l'attacha à un pieu abandonné à cet endroit. Orækja souhaitait que tout soit terminé au plus vite. Teitur parut inquiet. Il demanda à Orækja s'il savait ce qu'ils allaient lui faire. Svein voulut qu'il se taise. Orækja répondit qu'il le savait fort bien. Cela troubla Teitur.

« Comment peux-tu rester si calme si tu sais ce qui va arriver ? » dit Teitur. Puis il cria : « Tu n'es quand même pas aussi bête qu'un mouton que l'on va égorger ! Pourquoi ne cherches-tu pas à lutter ? »

Svein lui signifia de se taire. Orækja se redressa. Il adressa à Teitur un regard vide.

« Vas-y, fais ton office, dit-il.

– Tu ne peux pas savoir ce qui t'attend ! s'exclama Teitur.

– Je sais tout, répondit Orækja d'un ton d'une légèreté stupéfiante.

– Tout ?

– Oui, tout. Car vous êtes bien d'accord, Sturla n'est qu'une vermine qui n'a pas le courage d'être ici. »

Svein le frappa au visage. Le nez d'Orækja se mit à saigner.

« On va te crever les yeux ! On va te châtrer ! » hurla Teitur.

Orækja parvint à noter le regard vide de Teitur, avant que celui-ci ne lui assène un coup de poing. Il tomba. Svein sortit son couteau et le planta dans le sol. Il mit Orækja en position debout et l'attacha encore plus fermement au pieu. Svein retira son couteau de la terre et, de l'autre main, il tira Teitur auprès de lui, à quelques mètres d'Orækja. Svein murmura. Teitur baissa les yeux. Les deux hommes étaient un peu plus jeunes que lui, ils étaient grands, et débordaient de force. Teitur acquiesça de la tête. Le silence se fit. Leurs visages prirent soudain une expression de détermination. Orækja sentit que leur respiration s'accélérait. Svein et Teitur devaient savoir que, à l'instant où ils allaient le tuer, le soleil allait d'abord percuter les étoiles avant de s'abattre sur eux et de tout dévaster par le feu. Tout ne serait plus que ténèbres, et même la nuit ne reviendrait pas. Tout disparaîtrait avec lui, Orækja : le moindre oiseau, l'ultime poisson et le dernier homme. Derrière lui, il ne laisserait rien à personne. Il ne put s'empêcher de crier. Un cri violent, continu et fou. Apeurés, les oiseaux s'envolèrent de leur nid, à tire-d'aile et sans but. Sturla n'était pas loin, il l'entendit. Orækja s'évanouit. Puis, au bout d'un moment, il recouvra ses esprits. Ils ne lui avaient pas crevé les yeux ! Il cria qu'il pouvait voir !

Svein lui avait épargné les yeux et ne lui avait tranché qu'un seul testicule. Il dit merci sans savoir qui il devait remercier, car, pour une fois, il avait eu un peu de chance, lui aussi.

Ce n'est pas un art de mourir. Survivre est bien plus difficile. Orækja évita de se vider de son sang. Il fut renvoyé chez sa femme, étendu sur son cheval. Une fois encore, Arnbjørg parvint à le guérir. C'était la troisième fois qu'elle lui sauvait la vie. Il put recommencer à marcher rapidement mais, avant que ses blessures ne cicatrisent entièrement, il fut exilé en Norvège.

Snorri tendit le bras pour prendre son exemplaire de la *Heimskringla*. Et dire qu'il était parvenu à écrire autant en aussi peu de temps ! Quel effort ! Il avait écrit sur tous les rois de Norvège en moins de deux ans. Sæmundr Sigfússon le Savant avait écrit sur les rois de Norvège cinquante ans avant Snorri. Il avait étudié à Paris. Sæmundr s'était basé sur des dates et des faits exacts, mais lui aussi avait bien dû avoir recours à des supputations. Et cela avait été également le cas de d'Ari Thorgilsson le Savant.

Snorri se leva et ouvrit la porte. Il regarda dans la direction de l'église, comme tout le monde, église qui ressemblait à une ombelle. L'église disait tout. L'église était là où elle devait être. C'était l'heure du crépuscule, et l'air s'était rafraîchi.

Peut-être devrait-il s'entretenir du mal avec Arnbjørn ? Même si les familles les plus puissantes d'Islande avaient rassemblé entre leurs mains tous les pouvoirs et les biens, même si elles possédaient plus qu'elles n'en avaient besoin, elles ne cessaient de se faire la guerre. Quelques jours plus tôt, Snorri avait vu un enfant frapper un chiot à coups de pied, jusqu'à ce que l'animal ne bouge plus, sans vie. Orækja était-il l'incarnation du Diable ? Et lui, Snorri, qui avait si souvent utilisé Orækja ? Arnbjørn, le prêtre, allait-il lui dire que Dieu est disposé à empêcher le mal, mais qu'Il n'en est pas en mesure ? Ou, au contraire, qu'Il en est capable, mais qu'Il ne le veut pas ? Non, il ne pouvait deviser de cela avec le prêtre. Il referma doucement la porte derrière lui et retourna à sa table de travail.

Son frère Thordr lui avait appris que Sturla avait l'intention d'écrire la saga des Sturlungar. Pouvait-il lui faire confiance, lui, Snorri ? À cette heure, il se méfiait de tous. Sturla savait manier la plume, et c'était un danger. Snorri contempla les objets posés sur sa table. Une noix de coco, cadeau d'un marchand égyptien lors d'une visite en Scanie. Une épine de la couronne du Christ, qui lui avait été envoyée par un monastère en dehors de Paris. Un petit bout de la nappe utilisée lors de la Cène, qu'il avait hérité de Jon Loptsson, lequel l'avait reçu de Constantinople. Mais il y avait un autre objet, à ses yeux plus précieux que tous. Une petite bouteille bleue, qui contenait de l'eau. De l'eau bénite, venant de la ferme de Sul, à Verdal, dans le Trøndelag. De l'eau prise à la source où saint Olav lui-même avait bu. Les épouses de Snorri s'étaient moquées de son zèle à rassembler toutes ces sortes d'objets. Afin d'échapper à leurs radotages et à leurs reproches incessants, il en avait dissimulé certains. Mais ceux-là, nul n'avait le droit d'y toucher. Bientôt, il ferait nuit noire. Snorri crut entendre un bruit, et il posa sa plume. Il aurait dû manger un morceau. Il se pencha en avant et laissa sa tête reposer sur la table. La dernière pensée qui lui traversa l'esprit avant de s'endormir était qu'Orækja devait l'aider.

Sinon, il risquait de ne jamais revoir Margrete. Oui, la situation était si mauvaise que ça ! Snorri était obligé d'implorer l'aide de son fils, ce fils qui affirmait qu'un coup d'épée valait mieux que tout discours. Là, il était dépendant de son fils pour revoir sa bien-aimée. Cela donnait bien la mesure de son impuissance et de son désarroi !

Deux hommes de Gissur Thorvaldsson se faufilèrent jusqu'à la maison. Ils connaissaient les lieux. Ils écoutèrent longuement à la porte. Au bout d'un long moment, ils l'ouvrirent, presque sans bruit. Snorri ronflait, la tête tournée vers la porte. Un des hommes la referma doucement. Ils ne devaient pas toucher à un cheveu de Snorri, juste s'assurer qu'il était bien là, et seul.

Ils l'entendirent crier un mot dans son sommeil :

« Orækja ! »

21 septembre 1241

Snorri se redressa dans son lit. C'était sûrement le milieu de la nuit, car la pièce était plongée dans l'obscurité.

Aux soixante-dix hommes qui chevauchaient vers Reykholt sous les ordres de Gissur Thorvaldsson, la soif de vengeance donnait des forces et des ressources dont Snorri aurait grandement bénéficié.

Dehors, il apercevait deux étoiles. La chandelle de suif à côté de lui était presque entièrement consumée. Dans son sommeil, il avait renversé le chandelier sur son encrier. Il parvint à le redresser à temps. Il lui fallait à tout prix éviter que le suif coule dans l'encre.

Il se leva et parvint à distinguer les livres qui lui restaient après le partage de l'héritage d'Hallveig. Quelques semaines auparavant, Klængr et Ormr, les deux fils d'Hallveig, avaient emporté plus de la moitié des ouvrages et la majorité des meubles. Snorri avait espéré avoir la paix avec eux après s'être montré plus que généreux pendant le partage. Sa tactique avait échoué. Les frères étaient arrivés à Reykholt deux jours à peine après que leur mère eut été enterrée. Et ils avaient exigé la moitié des biens ! C'était Ormr qui avait pris la parole. Les deux frères se souvenaient fort bien que Snorri n'avait guère manifesté de chagrin lorsque leur père, Bjørn Thorvaldsson, était décédé, dix ans plus tôt. Au lieu de chercher à leur faire entendre le côté déraisonnable de leur requête, il leur avait offert force boisson et nourriture, il s'était efforcé de sourire et de rire le plus souvent possible. Snorri avait partagé les livres, les chandeliers, les couvertures et les tapis d'une main magnanime, au point que même Klængr avait marmonné un merci. Snorri avait escompté que les deux frères s'en contenteraient, et qu'ils rentreraient chez eux le plus vite possible.

« C'est une bonne chose que le mobilier de Reykholt soit partagé, déclara Ormr, mais, maintenant, il serait temps de passer à ce qui a vraiment de la valeur. » Snorri tenta d'afficher une mine innocente et interloquée. Les frères voulaient que les domaines de Bláskógheidi, de Reykholt et de Stafaholt soient partagés immédiatement. Non seulement les maisons et les terres alentour valaient fort cher, mais, en outre, les domaines étaient des biens de l'Église. Leur propriétaire avait le droit de prendre sa part de la dîme prélevée sur les paysans et les serfs qui vivaient sur ces terres. Snorri déclara tout de suite qu'il était hors de question que Bessastadir fût pris en compte dans ces calculs. Il l'avait acheté de ses propres deniers. Ormr esquissa un sourire en coin et dit qu'aucun d'eux n'avait mentionné Bessastadir. Ils avaient seulement parlé des trois autres domaines. Snorri leur donna des livres supplémentaires, sans obtenir de contrepartie. Au contraire. Ils étaient montés sur leurs chevaux avec les livres et tout le reste entassé sur des charrettes, puis avaient crié qu'ils ne lâcheraient rien. Ils étaient partis à Bær, où ils avaient laissé les charrettes, avant de galoper jusqu'à leur oncle Gissur Thorvaldsson pour lui demander son aide. Voilà quelle avait été leur façon de le remercier, lui, Snorri. C'était un comble !

Dans la lueur vacillante que produisait le petit bout de mèche, il vit les silhouettes des cinq livres qui lui restaient. Quel que soit le jugement du temps sur la qualité de ses écrits, ceux-ci valaient davantage que la vie qu'il avait vécue. C'étaient des millions de lettres calligraphiées avec soin sur des parchemins, enluminées d'or et d'argent, qu'il avait données à ces deux crétins avides. Or, savaient-ils même lire ? Bien peu, dans leur conduite, le laissait penser. En revanche, les deux frères savaient combien il était aisé de vendre ces ouvrages magnifiques à des églises ou à des monastères, à des nobles anglais ou norvégiens.

Mais que savaient-ils du labeur que représentait chacun de ces livres ? Pour ne rien dire de l'esprit qui avait guidé la plume sur ces parchemins. Car si l'on observait de près un seul feuillet, on aurait cru voir une toundra. À l'aide d'une solution de chaux, il avait ôté les restes de graisse, de poils et de chair, il les avait tendus sur un cadre pour les gratter à fond, il les avait enduits de craie, il les avait lissés avec une pierre ponce. Et le matériau de base, il l'entendait encore beugler, là, dehors. Mais quel parchemin n'obtenait-il pas ! L'encre venait à y trouver sa place avec grâce, et si jamais l'on faisait une faute, on pouvait la gratter ou la laver. Il avait composé la *Heimskringla* et l'*Edda en prose*. Mais, désormais, il écrirait sur lui-même. Dès que l'aube le permettrait, il s'y mettrait enfin. Pour le moment, il lui fallait éteindre sa chandelle et se recoucher. Cependant, il devait d'abord manger. Car n'était-ce pas la faim qui l'avait tiré de son sommeil ? Il se pencha et ouvrit le petit placard à côté de son lit. Sa main droite fouilla à tâtons avant de trouver le reste de pain de froment. Il le porta à sa bouche et le mâchonna tout en allant éteindre la chandelle. Puis il regagna son lit.

Le prêtre se préparait certainement pour l'office de la Saint-Maurice. C'était pour cela qu'il ne l'avait pas vu ces derniers temps. Pourquoi s'inquiéter ? Arnbjørn désirait sûrement être en paix pour améliorer son sermon. Ce ne serait guère étonnant. Quand Arnbjørn l'avait interrogé, il lui avait conseillé de varier et d'approfondir ses sermons.

Snorri se leva, il s'installa à sa table et alluma la chandelle. Une fois encore, il essaya de composer quelques phrases. Il n'y parvint pas. Était-ce la fin ? N'était-il plus capable d'écrire ? C'était vain. Ce fut sa dernière tentative de rédiger quelque chose.

Snorri frappa du poing sur la table. Il était trop fatigué. C'était aussi simple que cela. Il souffla la chandelle et se remit au lit. Il était allongé sous la couverture au motif de serpent rouge et bleu. Les deux étoiles n'éclairaient plus la maison. Le sommeil s'insinua derrière ses yeux, et il se mit à rêver.

Il gisait au milieu de la cour, à Reykholt. Il essaya de soulever sa jambe gauche. Rien. Il voulut vérifier que sa cheville enflée obéissait. Elle ne bougea pas. Il fit de même avec la jambe droite. Peut-être ses orteils accepteraient-ils de remuer ? Ils restèrent immobiles. Le soleil le regardait fixement. Il tenta de fermer les yeux. Ils refusèrent. Il gisait devant la maison principale, sous les nuages qui restaient en place, sous toute cette immensité bleue et sous l'œil inquisiteur du soleil. Il voulut crier : « Je suis là ! » Il voulut crier haut et fort afin que tous les gens de Reykholt puissent l'entendre. Il fallait qu'ils entendent tonner sa voix, telle qu'elle avait résonné à leurs oreilles au fil des ans, la voix du chef, du maître et du scalde. Ses lèvres ne consentirent point à s'ouvrir. Il y avait du monde alentour. Pourquoi ne les avait-il pas remarqués ? Il les connaissait tous. Arnbjørn, Kyrre, Gyda, ainsi que l'aide de Kyrre et de Torkild ! Snorri voulut crier à pleine gorge. Nul ne l'entendit. Ses frères arrivèrent, suivis de peu par Orækja et Margrete. Orækja pleurait. De la main, Margrete se voilait les yeux. Bouche bée. Il y avait un trou. Lui, Snorri, n'entendait rien. Mais que faisaient-ils donc tous ? Les gens de Reykholt formaient un cercle autour de lui. Torkild sortit du cercle, se pencha sur lui et scruta son visage. Un homme s'accroupit juste derrière eux. Il s'agissait sûrement de Kyrre. Ils le soulevèrent. Là, enfin, il put les voir. Margrete et Orækja gardaient la tête baissée. On le déposa sur le sol. Kyrre essaya de lui fermer les yeux. Ses paupières se rouvrirent. On le releva une fois encore avant de le déposer. Cette fois-ci, il se retrouva sous terre. Il les voyait, au-dessus de lui. Il voulut crier. Ils se pressaient autour du trou, juste assez grand pour contenir son corps. Leurs visages s'assombrirent, car ils se protégeaient du soleil. Arnbjørn, le prêtre, fut le seul à lever un bras. Ses lèvres remuèrent. Il fit le signe de croix. Trois hommes s'éloignèrent et revinrent chacun avec un racloir. La terre autour de la tombe s'abattit vivement sur ses jambes et ses cuisses. Son frère Thordr poussa de la terre et du sable sur ses hanches et sur son ventre. Entendit-il un cri de Margrete ? Étaient-ce les larmes d'Orækja qu'il sentit goutter sur lui ? Il distingua la main levée du prêtre qui se détachait sur le ciel. De la terre, du sable et des pierres le recouvraient. Il entendait chaque mot, et même les murmures pénétraient dans ses oreilles. Les pleurs, les paroles du prêtre, les soupirs de soulagement de Thordr, les sanglots de Gyda, les lamentations désespérées d'Orækja.

Torkild qui chuchotait à Kyrre, lui disant qu'ils devaient causer d'une affaire. Et, en plus, la voix de l'évêque qui se joignait à ce chœur. Rendez-vous compte ! Même l'évêque s'était déplacé ! Ormr et Klængr étaient là eux aussi, évidemment. C'était le moment idoine pour faire perdre pied à Orækja, pour le pousser à se battre, à tirer l'épée, et le faire sombrer dans la folie du guerrier, afin que l'Althing le condamne et le prive de son droit à l'héritage. Une fois la nuit tombée sur Snorri, ils se mirent à comploter. Ormr fit remarquer à Klængr combien Orækja gémissait de l'autre côté de la tombe, tout à son chagrin et à son désespoir. Qu'allait donc faire ce forcené maintenant que son père mangeait les pissenlits par la racine ? La manière dont Ormr respirait disait à Snorri qu'il souriait. Puis il entendit nettement la voix de Gissur. Mais que faisait-il là ? À l'instant où il était sur le point de reconnaître d'autres voix qui venaient s'ajouter, il dégringola dans les entrailles de la Terre. Il ne sut combien de temps dura cette chute folle, mais cette descente sous terre s'arrêta aussi brusquement qu'elle avait commencé. Il se retrouva allongé, à côté d'un rocher, à l'intérieur de ce qui ressemblait à une grotte gigantesque. Où était-il ? Il trouva un petit étang dans la caverne, qui comptait quatre ouvertures au plafond. Il s'engagea dans la galerie la plus grande. Il était déjà venu dans cet endroit. Tout au fond, il vit quelques stalagmites glacées qui s'élevaient jusqu'au plafond. Snorri repartit prudemment dans la direction opposée. Il atteignit trois grottes secondaires. Mais qu'entendait-il ? Des cris assourdissants. Il reconnut la voix. Il buta sur des ossements. Entre chaque cri, il entendit des jurons et des gémissements. C'était la voix d'Orækja. Deux inconnus étaient plantés devant son fils. Il était attaché par une corde solide, l'un des hommes lui tenait les bras, l'autre lui donnait des coups de couteau. Là, il comprit où il se trouvait. À Surtshellir. Et il avait vu, jadis, des criminels et des meurtriers y être enfermés. Snorri s'éloigna doucement d'Orækja et des deux hommes. Les cris cessèrent. Snorri se dirigea rapidement vers la sortie et il fit un peu plus clair autour de lui. Il chercha à avancer plus vite encore. Enfin, il aperçut l'ouverture. Les rais du jour filtraient dans la grotte comme autant de lignes de vie tendues. Mais les cris se rapprochèrent. Il rampa sur une pente raide et gagna la lumière bénie. Les cris disparurent. Il haletait. Il baissa les yeux sur ses bottes. Le sang des blessures d'Orækja maculait le cuir. Il leva le pied. Sur la semelle, il y avait des grains étincelants. Il avait entendu des histoires de ce genre, mais il n'y avait jamais cru. C'était de la poussière d'or qui garnissait ses semelles. Il ôta ses bottes avec précaution et les posa à l'envers. Il s'agenouilla et de sa main droite frotta doucement chaque grain pour les faire glisser dans sa main gauche tendue comme une sébile. Lorsque tout l'or fut ainsi récolté, il leva la tête vers Sleipnir, qui l'attendait. Un éclat doré brillait dans les yeux de Sleipnir, si fort que Snorri cilla plusieurs fois. Un semblant de sourire passa sur ce qui avait été son visage. Mais qu'était-il donc arrivé à Sleipnir ? Le front, les joues, le chanfrein, les ganaches, le cou, la gorge, la poitrine, le dos, les flancs, les reins et la robe étaient bien les mêmes, mais ses pattes ? Sleipnir en avait huit, exactement comme le cheval d'Odin. Cela avait dû se produire pendant qu'il était dans la grotte. Sleipnir regarda fixement l'or dans la main de Snorri. Son regard ne trembla pas. Mais son membre ? Il enfla comme un bourgeon au printemps, avant de cogner doucement contre ses arrières. Une brise légère les caressa, Sleipnir et lui. Il n'eut pas le temps de fermer la main, et la poudre d'or s'envola. Snorri se lança à sa poursuite, et se retrouva au bord de l'eau, dans une obscurité totale.

« Mais est-ce que je peux faire quelque chose ? demanda Snorri.

– Réveille-toi », répondit une voix.

Ce qu'il fit.

Le bruit résonnait encore dans la pièce lorsqu'il s'assit dans son lit.

« Réveille-toi », reprit-il à voix basse.

Il sortit de son lit, resta debout un instant. Il se rassit et enfila ses chaussures. Il alla jusqu'à la longue table, s'y appuya et s'assura que la chasse à la poussière d'or de Surtshellir n'avait été qu'un rêve. Mais pourquoi avait-il rêvé de Sleipnir ?

Il songea alors à ce que Margrete lui avait dit :

« Veille bien sur ton petit cheval. »

Rêver de chevaux était un mauvais présage. Certes, ce n'était là que superstition, il n'en avait jamais douté. Toutefois, un reste désagréable de doute lui hantait encore l'esprit. Il aurait mieux valu qu'il ne rêve pas du tout. Les pensées de ce genre usaient les personnes âgées. Certes, son corps n'était plus tout jeune, mais sa tête, elle l'était parfaitement, même si Margrete l'avait interrogé à ce propos, après leur rencontre avec Knut Storskald, à l'Althing. Peut-être était-ce lui qui aimait à se croire jeune d'esprit ?

Dehors, le matin s'était installé. Mais où étaient passés les gens des fermes ? Que leur arrivait-il donc ?

Il voulut rester à sa table de travail la plus grande partie de la journée. Oraekja n'était pas là, mais les phrases ne s'imbriquaient pas correctement. Oui, cela restait un exercice vain. Déjà, la veille au soir, les mots lui avaient donné l'impression de rester une membrure par ici, un bord par là, quelques clous dans un coin, du suif dans un autre. Il n'était pas en mesure de les unir pour assembler une quille et une coque qui flotteraient, au point que les phrases se mettent à voguer. Il irait à la messe de la Saint-Michel. Une fois l'office terminé, il s'entretiendrait avec Arnbjørn. Il avait besoin de confier son inquiétude.

Quel temps faisait-il ? Il entrouvrit prudemment la porte et jeta un coup d'œil. D'ici quelques mois à peine, la neige tomberait doucement sur Reykholt. Quelques gros flocons s'écraseraient sur le sol, déguisés en gouttes de pluie. Puis une nuée de flocons blancs se mettraient à voleter gaiement dans les airs. Ils chercheraient à toucher terre, mais, malgré tout, ils voleraient un peu avant d'y parvenir. Certains commenceraient même par remonter avant de choir, lentement au début, puis un peu plus vite, pour finir par atterrir sur le bord du clocher. Après un repos plus que bref, d'autres termineraient leur course sur la robe grisâtre d'un cheval qui n'y prêterait pas attention. D'autres encore se dirigeraient vers la maison principale, mais, au dernier instant, changeraient de course pour se déposer sur la langue rouge d'un bébé qui ouvrait la bouche. La plupart des flocons aboutiraient sur une charrette déjà lourdement chargée, en train de franchir la porte pour gagner les champs. Une nappe de neige trop courte couvrirait la plupart des toits. Et, peu à peu, on s'apercevrait que les bruits des voix, des pas, des roues et des pierres à aiguiser étaient étouffés par cette couche blanche. Même la source chaude sous la colline, jusqu'au bassin de Snorri, n'émettrait plus que des gargouillis de plus en plus faibles, comme si un long bras élancé envisageait que son sang se fige en glace.

Il s'était conduit comme un idiot! Il avait chassé Oraekja, car il fallait que son fils soit mené à la dure. Mais, là, il risquait de ne jamais le voir revenir. Snorri songea à un paysan de sa connaissance qui voulut donner sa liberté à son serf. Mais le serf avait supplié le paysan de n'en rien faire. Le paysan avait cru que le serf se moquait de lui. Dès qu'il l'affranchit, le serf le tua.

Il n'avait jamais compris Orækja. Quand ce dernier était un jeune garçon de huit ans peut-être, Snorri l'avait trouvé couché sur le ventre, le nez dans la bruyère. Quand il lui avait demandé pourquoi il se tenait ainsi, Orækja avait répondu qu'il observait des temps passés. Un enfant ne parle pas de la sorte. Snorri avait hoché la tête. Cette phrase étrange ne l'avait rempli ni de joie ni de fierté. Seulement d'inquiétude.

Trois jours plus tôt, Orækja avait dit qu'il était revenu à Reykholt pour chasser au faucon. Évidemment, il s'agissait d'un prétexte. La raison principale de sa présence était de voir comment allait son père. Et tout ce que Snorri avait trouvé à faire, c'était de lui demander de déguerpir, et ce, d'une manière impardonnable. Brusque et insensible. Un comportement réservé aux ennemis et aux traîtres. Orækja était son fils. Ce fils dont il avait plus que besoin afin de conserver ce qui lui restait de pouvoir et de biens. « Orækja ! » s'écria-t-il dans la cour. Il n'ajouta rien et se dirigea à pas vifs vers la porte Sud. Peut-être Orækja ne se trouvait-il pas très loin ? Oui, il fallait qu'il soit là ! Snorri marmonna : « S'il te plaît, reviens. Mon cher fils, j'ai besoin de toi. Comprends-le. »

Dieu avait décidé de détruire Sodome et Gomorrhe

car ces deux cités vivaient dans le péché. Lot, qui vivait à Sodome, avait été visité par deux anges. « Sauve-toi, pour ta vie ; ne regarde pas derrière toi, et ne t'arrête pas dans toute la plaine », dirent-ils. Dès que Lot et sa famille eurent quitté la ville, Dieu fit pleuvoir du soufre et du feu sur Sodome. Toute vie fut anéantie. Adit, la femme de Lot, s'arrêta dans sa fuite, se retourna et contempla les ruines. Elle devint une statue de sel. Pourquoi s'était-elle retournée ? Par charité ? Pour chercher les époux de leurs filles, qui étaient restés là-bas ? L'Éternel l'avait-il punie aussi durement parce qu'elle avait aperçu la vindicte du Seigneur ?

Snorri pressa le pas. Il inspira profondément. Une odeur, que de prime abord il ne reconnut pas, s'insinua dans ses narines. Il leva la tête. Qui avait ouvert la porte de l'enceinte ? Orækja était-il rentré ? Il essaya de marcher plus vite encore. Si jamais c'était Orækja, il lui pardonnerait tout. Absolument tout. Il resta longtemps à la porte. Il ne vit personne. Y avait-il quelqu'un de l'autre côté du rempart qu'il ne distinguait pas ? Il contempla longuement les champs, les collines et les montagnes, au loin, qui faisaient obstacle à la mer. Il devait s'efforcer de se calmer. Kyrre lui avait demandé la permission de mettre à l'enclos les trois juments avec leurs poulains. L'étalon s'était montré si nerveux ces derniers temps qu'il s'en était pris aux poulains. Mais, de toute évidence, l'herbe au sol avait été broutée. Au lieu de déplacer la clôture, le jeune aide s'était contenté de leur jeter un ballot de foin. Cela irritait Snorri que l'on ait commencé à se servir de la paille pour l'hiver.

Ce n'était pas la première fois qu'il notait la négligence de ses serviteurs. Si quelque chose était coûteux, ou source d'ennuis futurs, ils n'y réfléchissaient pas. Et si la sécheresse durait, et si, ensuite, l'hiver était long ? Simplement parce qu'il ne s'agissait pas de ses propres chevaux, cela n'avait pas d'importance aux yeux de Kyrre. En revanche, un sou vite gagné, il ne crachait pas dessus ! Kyrre avait distribué aux juments et aux poulains le meilleur foin parce qu'il ne voulait pas se donner la peine de déplacer une clôture. On en était là.

Les poulains de l'enclos avaient la même robe que leur mère. Snorri ne se souvint pas d'avoir noté cela par le passé. Une, voire deux, mais pas trois juments à la fois avec des poulains de la même couleur. L'aide de Kyrre surveillait certainement les chevaux, lui aussi. Il fit comme s'il ne voyait pas Snorri. La plus grande jument était grise. Les deux autres respectivement noire et marron. Ces chevaux étaient plus imposants que Sleipnir. Ils avaient été achetés en Norvège l'année précédente.

Entre eux, la hiérarchie était stricte. Sleipnir ne s'y serait jamais plié. Snorri en était fier. La jument marron broutait le foin. Les autres se tenaient à distance respectueuse, avec leurs poulains tout proches. Visiblement, le poulain marron était rassasié, il donna des petits coups de tête sur les antérieurs de sa mère, qui mangeait encore. Elle continua un moment. La jument grise hennit, son poulain reprit le hennissement, moins fort, mais le mouvement de sa tête était identique. La jument marron et son poulain se retournèrent brusquement. La jument noire et son poulain reculèrent encore. La jument marron cessa de manger pendant un instant. La grise s'approcha du foin. À peine l'eut-elle remarqué que la jument marron redressa les oreilles, elle hennit, secoua la tête et montra les dents. Le poulain marron fonça sur le gris. Cela poussa le gris à s'écarter vers le poulain noir, non pas à l'éviter, mais à se placer devant lui. Enfin, la jument marron et son poulain s'éloignèrent du foin. Il en restait moins de la moitié. La jument grise et son petit s'approchèrent à pas prudents. Existait-il spectacle plus apaisant pour l'esprit que d'observer les chevaux ?

Bien sûr qu'il était capable de se délasser sans s'asseoir dans le bassin.

Il jeta un regard vers la porte. Mais quelle était donc cette odeur qu'il avait sentie par là ? Un coup de vent lui donna l'impression de la reconnaître. Elle était lourde, un peu douceâtre. L'odeur de la paille et des chevaux lui fit retourner la tête vers la jument grise. Elle se nourrissait rapidement, mais son poulain mangeait plus lentement. La jument noire s'approcha trop près. La grise se planta devant la tête de son petit et chassa quelques mouches. Lorsque son poulain en eut terminé, ils s'éloignèrent, la noire et son poulain se précipitèrent. Les brins de paille qui restèrent alors se comptèrent sur les doigts de la main. Chacun avait mangé à son tour. Rassasié, le cheval noir restait dans son coin. Puis, brusquement, il se mit à trembler et à courir dans tous les sens, sans but, et avec une liberté infinie. Il se figea et fut attiré par une poignée de foin tendue par l'aide de Kyrre. Sleipnir ne se serait jamais comporté ainsi. Sleipnir n'était jamais à la traîne de personne.

L'odeur parvint une fois encore au nez de Snorri.

Si seulement Orækja pouvait revenir ! Là, il le remercierait. Il ne lésinerait pas sur les compliments, et ce, devant témoins. Lui avait-il jamais dit un mot agréable ? Il rentra et referma la porte. Il s'était montré ingrat et mesquin. Il avait commis la même erreur avec Lille-Jon, quand celui-ci avait souhaité un cadeau raisonnable pour son mariage. Orækja n'avait jamais rien demandé.

À ce moment, il comprit.

Ce n'était pas Orækja qui se cachait derrière cette affaire ! Les yeux de Snorri se mirent à briller. Il dirigea ses pas vers le bassin. Que de nuits de cauchemars n'avait-il pas accumulées à cause son fils !

L'odeur venait de là, et de *ça*. Le spectacle le fit pleurer et tenir des propos incohérents entre les sanglots. Il serra les poings. Le bassin était constamment approvisionné en eau, qui vira rapidement au rouge. De sa main droite il essuya ses larmes. Il regarda alentour. La puanteur du sang lui racla les narines et la gorge. Il eut peine à déglutir. Il s'arrêta à deux mètres du bassin. Il trembla. Cessa de sangloter. Aucun mot ne vint à ses lèvres. Il resta bouche bée. Les larmes avaient laissé leurs traces autour de ses yeux et de son nez.

Le cri dura suffisamment longtemps pour que ceux qui furent tirés de leur sommeil aient le temps de se rendre compte qu'il était poussé par un adulte. Un cri, intense et déchirant, s'éleva du bassin, il résonna sur le domaine entier et fendit même une fraction du ciel qui dominait le vieil homme. À côté du bassin, il y avait un pieu, planté profondément dans la terre, et des traces sanglantes sur la pente. Des gouttes de sang coulaient encore le long du pieu. Les yeux du cheval étaient ouverts, sa bouche à moitié close. Le pieu pointait droit vers Snorri. Le poids de la tête fichée sur le pieu le faisait légèrement ployer en avant. Snorri se trouvait face à la tête de Sleipnir. Il hurla le nom d'Orækja. La vertèbre cervicale brisée dépassait. Le cou avait été tranché. Snorri étudia les grands yeux marron de Sleipnir, vides de toute expression, ces yeux qui avaient tant regardé autour d'eux, et si loin. Snorri ne se souvenait pas d'avoir jamais lu la peur dans les yeux de Sleipnir. Par la manière dont il se déplaçait, par ses oreilles tendues sur le côté, par ses sabots qui frappaient le sol, il avait certes parfois fait montre d'inquiétude. Mais Snorri n'avait jamais vu de panique chez lui. Il posa la main droite sur le front de Sleipnir, de la gauche il s'essuya le visage.

Il fit claquer sa langue.

Il caressa doucement la bouche du cheval. Elle était presque froide. Son toupet tombait mollement, comme si rien ne s'était passé. Snorri hésita à tourner la tête vers le bassin. Une légère brise remua le toupet de Sleipnir.

Snorri baissa les yeux sur le bassin. Les pattes arrière y étaient plongées. De la chair et des tendons avaient commencé à se détacher à l'endroit où la tête et le cou avaient été séparés du reste du corps. Les pierres couleur sable étaient noircies de sang. Le bassin était trouble. Qui pouvait donc nourrir une telle haine à son égard ? Les auteurs de cet acte le connaissaient bien. Forcément. Klængr et Ormr avaient-ils réussi à mettre Orækja de leur côté ?

La plupart des gens de Reykholt avaient peur d'Orækja. Kyrre et Torkild n'avaient pas raté une occasion de dire à Orækja combien Snorri le détestait, afin d'avoir prise sur lui. On ne saurait exagérer la bassesse des êtres humains. Leur était-il possible de colporter des ragots sur leur maître à un homme qu'ils craignaient réellement, ils ne s'en privaient pas. C'était comme ça. Rendaient-ils service au Diable qu'ils étaient certains d'en obtenir quelque chose en retour. Si la nouvelle était assez grande, le ragot suffisamment venimeux et le prêté surprenant, ils escomptaient un rendu équivalent. Comme si le Démon tenait parole !

Snorri commença à se reprocher de n'avoir pas parlé calmement à son fils depuis leur dernière rencontre près du bassin. Il aurait dû le remercier pour la journée agréable passée chez Tumi Sighvatsson, son neveu, deux semaines plus tôt. De fait, cela avait été un moment vraiment plaisant. Il avait discuté avec Tumi sur les mesures à prendre afin d'arriver à un compromis avec Ormr et Klængr à propos du partage de l'héritage d'Hallveig.

Le soir même de son arrivée chez Tumi, ce dernier envoya deux de ses hommes pour trouver Orækja et Sturla Thorvaldsson, et leur demander de se rendre à bride abattue jusqu'à Saudafjell. Dès le lendemain soir, ils étaient sur place afin d'évaluer la situation. Snorri eut non seulement le plaisir d'entendre qu'il surévaluait la rancune des deux frères, mais aussi qu'il avait le soutien de la majorité de la famille. Il ne pouvait tout de même pas nier que son fils, son hôte et Sturla étaient des hommes d'action ? Ils n'étaient pas parvenus à le convaincre. Mais ce qui l'avait mis de bonne humeur, c'était de voir Orækja accepté par les autres. Il avait serré son fils dans ses bras, juste un instant, et lui avait demandé s'il était prêt à faire un bras de fer, comme lorsque Orækja était petit garçon. Le père et le fils avaient donc fait un bras de fer, pour la plus grande joie des personnes présentes. L'ambiance joyeuse n'avait pas faibli quand Tumi leur avait déclaré qu'il venait de recevoir une grosse quantité de bière allemande à la maison. La bière avait été transportée par un navire marchand qui venait de Brême. Et, à bord, la cargaison n'était pas seulement de bière. On apporta des pichets de vin rouge, du miel et des épices qu'ils n'avaient jamais vus. Tout cela fut servi après qu'ils eurent mangé quantité d'agneau grillé. Pour finir, ils avaient dégusté des pommes épluchées avec un coulis de miel. Avec ce dernier met, ils avaient bu un vin doré et sucré que Snorri n'avait jamais goûté. Il n'en avait rien dit. C'était son hôte qui avait remarqué la mine surprise de Snorri après que ce dernier en eut avalé la première gorgée de sa coupe d'argent. Tumi lui avait demandé s'il aimait ce vin. Snorri avait acquiescé, et rapidement vidé sa coupe. Une fois épuisés les vins rouges et sucrés, ils avaient bu de la bière.

Cela faisait longtemps qu'il ne s'était senti aussi serein en compagnie de membres de sa famille. Mais en fin d'après-midi, il s'était souvenu de la lettre reçue quelques jours plus tôt. Un homme dans sa situation devait s'attendre à ce que les gens médisent de lui. Il s'y était habitué mais, cette fois-ci, il s'agissait d'une menace de mort claire et nette, composée en petites lettres chétives, d'une écriture qui rappelait les runes.

Cette lettre lui avait été adressée par un ancien membre du Ting, représentant Sæmundr Jonsson, d'Oddi. Snorri l'avait lue et relue d'innombrables fois. Il n'y avait pas entendu grand-chose, si ce n'est que la forme en était particulièrement haineuse. Entre autres, le nom d'Orækja y était mentionné en termes virulents. Il avait donc pris son hôte à part et la lui avait montrée. Pourquoi perturber une ambiance si plaisante ? lui avait demandé son hôte. Ce dernier avait jeté un bref coup d'œil à la missive, haussé les épaules, puis il avait conseillé à Snorri de l'oublier et de ne pas en parler à son fils. Pourquoi Snorri aurait-il dû se soucier d'une lettre que l'auteur n'avait pas signée de son nom ? Une personne forte et de poids n'aurait pas hésité à signer. Snorri l'avait rangée sous sa chemise et promis qu'il n'y penserait plus. Mais peut-être Tumi, ou Sturla, en avaient-ils parlé à Orækja, après son retour à Reykholt ?

La lettre était écrite par un homme pitoyable, sur l'ordre du meurtrier de Snorri. Deux jours plus tard, son auteur devait contempler le cadavre de Snorri et se vanter d'avoir rédigé cette missive.

Le lendemain matin, Snorri avait effectué un bout de chemin en compagnie d'Orækja et de Sturla, avant de rentrer seul à Reykholt. Sur le dos de Sleipnir, il avait d'abord fermé un œil, puis l'autre. Il avait songé que la mort serait une expérience étrange si, de temps en temps, on pouvait ouvrir un œil. En cet après-midi du début septembre 1241, il n'avait rencontré personne en chemin.

Snorri essuya ses larmes avec sa manche et tendit la main droite vers le toupet de Sleipnir. Il frotta les poils épais entre ses doigts. Il ne prêtait plus attention à la puanteur, ni à l'odeur de sang. Il pensa à Margrete, et se demanda si ce n'était pas son mari qui était l'instigateur de tout cela. Egil avait-il épousé Margrete par pure méchanceté, afin que nul autre, et encore moins Snorri, qui l'aimait, n'en ait la possibilité ? Il murmura ces mots à l'oreille de Sleipnir.

Snorri entendit des bêlements dans le lointain. Kyrre n'avait-il pas encore réussi à chasser les moutons de Reykholt ? Il se retourna. Une vingtaine de moutons franchirent le remblai. Mais qui donc leur avait laissé croire qu'ils trouveraient de l'herbe si près des maisons ? Ils n'avaient rien à faire par ici. Depuis l'aube, ils avaient brouté, leur tête dissimulée par leur corps. Ils avançaient en cahotant, bêlaient, se dépassaient l'un l'autre, bêlaient encore en secouant la tête. Ils bêlaient pour se rappeler mutuellement qu'ils étaient encore en vie. Leurs pas étaient si petits qu'ils ressemblaient à ceux des vieillards sur de la glace polie comme un miroir. Le soleil plantait ses rayons dans la laine des moutons, les chauffant pour la journée entière.

À l'extérieur des remparts, dans la direction opposée, deux hommes avançaient, avec une corde. Snorri ne les vit pas. Ils restaient sur les chemins, afin de ne pas faire de bruit inutile. Ils avaient attaché leur épée dans le dos, à la manière d'un carquois. Ils marchaient d'un pas vif, sans courir pour autant. Arrivés à la porte close, ils se dévisagèrent, contemplèrent l'obstacle et reculèrent de quelques mètres.

Snorri tourna le dos à la tête de Sleipnir et au bassin. À pas lents, il se dirigea vers les maisons. Son cœur battait. Son squelette le maintenait debout. Ses semelles étaient usées. Il ne tomba pas. Il avançait. Il ne serrait pas les poings. Ses bras ballants oscillaient doucement. Il regardait droit devant lui.

Torkild, face au rempart, tenait le cordage. L'autre, un homme aux cheveux noirs, au corps râblé et souple, fit un nœud à une extrémité de la corde. Il lança le nœud avec précision sur un pieu qui dépassait de la clôture, sur le rempart. Il se referma sans bruit. Une fois la corde tendue, ils attendirent quelques secondes, ils écoutèrent, se dévisagèrent et regardèrent la corde. Elle formait une ligne droite par-dessus le rempart et la clôture, puis se brisait sur le rebord, jusqu'au pieu. L'homme aux cheveux noirs la prit fermement à deux mains, puis grimpa le rempart à pic. En haut, il scruta d'abord les maisons. Il n'y avait personne. Il était sur le point de chuchoter à Torkild de le suivre. Son cœur fit un bond lorsqu'il aperçut Snorri. Il eut du mal à déglutir, mais sa respiration s'apaisa quand il eut étudié la manière dont marchait le vieil homme. Snorri était seul. Non, un chat tentait de se frotter contre une jambe du pantalon du maître de Reykholt. Snorri ne parut pas s'en rendre compte. Il n'y avait qu'à entrer! L'homme sauta par-dessus la clôture au sommet du rempart. Après être passés tous les deux, ils défirent le nœud et retirèrent la corde du pieu.

Dès que Snorri eut dépassé la forge et disparu de leur champ de vision, l'homme aux cheveux noirs sauta. Il atterrit à pieds joints, debout, il se retourna et tendit les bras vers le cordage qui lui était lancé. L'homme de haute taille sauta à son tour, il tomba, mais se releva instantanément. Snorri se dirigeait vers l'église à pas lents. Ils allèrent jusqu'à la porte et l'ouvrirent en grand. Avec leur épée, ils ôtèrent les planches du côté où se trouvait la serrure. Afin de maintenir la porte ouverte, ils l'attachèrent avec la corde à deux morceaux de bois solides qui dépassaient du rempart. Ils se dévisagèrent. L'homme aux cheveux noirs demanda à l'autre pourquoi il détestait Snorri. C'était lui qui avait désigné Sleipnir parmi les autres chevaux. C'était lui qui connaissait en détail la disposition des maisons les unes par rapport aux autres, et les habitudes de Snorri. C'était lui qui s'était mis au service du pire ennemi de Snorri. Sans hésiter, il répondit que Snorri avait couché avec sa jeune épouse quelques années plus tôt. Lorsqu'il l'avait découvert, sa femme avait fui Reykholt. Il ne l'avait jamais revue.

Avec des yeux luisants, Torkild avait déjà demandé à son nouveau maître s'il pouvait attaquer Snorri seul et lui porter le premier coup.

Les deux hommes regardèrent dans la direction de Snorri, qui montait les dernières marches jusqu'à la porte de l'église. Il haletait presque, une fois parvenu en haut. Il contempla ses habits, y remit de l'ordre et tenta d'ouvrir la porte. Elle résista. Il essaya une fois encore. La porte ne voulait pas s'ouvrir. Les deux hommes l'entendirent crier : « Ouvre-moi ! Arnbjørn, je sais que tu es là ! »

Ils se regardèrent en coin. Ils savaient fort bien où se trouvait le prêtre. Il leur restait à ressortir par la porte et à prévenir les autres.

« Arnbjørn, il faut que je te parle ! Il est arrivé quelque chose d'épouvantable. Je ne trouve personne. Où sont-ils passés ? Aide-moi ! »

Snorri cogna plus fort, il attendit un instant avant de se retourner, de redescendre l'escalier et de rentrer chez lui.

« Le poisson est prêt pour la casserole », dit Torkild avant de se mettre à courir.

La lune de septembre, si intense, était déjà perchée dans toute sa rougeur et sa rondeur au-dessus de Reykholt. Les ombres s'allongeaient jusque sur les murs. Snorri leva la jambe au-dessus de l'ombre qui tombait sur la dalle devant sa porte. Il avait besoin de s'allonger. Il était épuisé. Son visage était encore sali par les larmes. On distinguait les rides autour de ses yeux. Ses yeux étaient humides, avec une méduse grise en guise de pupille. Ses lèvres étaient sèches, le haut de son corps tremblait. Pour la première fois, il nota que ses mains étaient devenues plus noueuses. Ses poignets et ses doigts étaient plus ridés que dans son souvenir. Sa bouche parvint juste à s'ouvrir pour un bâillement, et il s'endormit.

C'était l'heure des anges, avant que tous les rêves ne deviennent compréhensibles. Snorri vit nettement l'ange alors qu'il ronflait profondément dans son lit. À peine entré dans la chambre, l'ange se posta au pied du lit. Les jambes de Snorri étaient tellement enflées qu'il n'avait pas ôté ses bottes. Il s'assit. L'ange, qui avait la silhouette de Margrete, se retira dans un coin plongé dans la pénombre. Ce n'était pas la première fois qu'il faisait ce rêve. À chaque fois, des détails s'y ajoutaient. Un an plus tôt, Margrete lui avait adressé un reproche qu'il n'avait su balayer. Il avait fait comme si celui-ci n'avait pas porté. Dans son coin, l'ange l'observait. Il sentait comme une piqûre. Son cœur se remplissait si vite de sang neuf qu'il avait l'impression que sa poitrine débordait. Chaque fois qu'il croyait serrer l'ange dans ses bras, il se métamorphosait en une lueur dorée et ses plumes raccourcissaient à mesure qu'il le tenait. Pour finir, elles étaient dures et grises, et l'ange se transformait en un faucon de chasse.

Deux ans avant qu'elle ne se marie et n'ait son premier enfant, Margrete avait fait un pèlerinage à Rome. Plusieurs personnes, parmi les connaissances et les proches de Snorri, s'étaient rendues dans la cité papale. Après la traversée jusqu'au continent, on prenait la route de Paris. De là, le chemin menait les pèlerins à Lucques, pour voir le Volto Santo. Lorsque saint Nicodème avait cherché à donner forme au visage sur le crucifix, il n'avait reçu d'autre aide que celle du Saint-Esprit. Et ce crucifix avait aidé des milliers de femmes à procréer. Margrete y compris.

Snorri avait visité de grandes parties de la Norvège et du sud de la Suède, mais il n'était jamais allé à Rome. Il ne pouvait s'éloigner trop de Reykholt et de l'Islande. Que pourrait-il bien passer par la tête d'Orækja pendant qu'il se trouverait à Rome ? Ce n'était pas possible. Il était obligé de veiller sur les biens, sur ce qu'il restait de la famille, et sur l'Islande.

D'une voix gentille, Margrete lui demanda s'il appréciait le vase qu'elle lui avait offert, ce vase avec Héro et Léandre, les amants célèbres. Elle avait acheté ce vase, à Rome, à un franciscain qui avait fui Constantinople en 1204. Il fit comme s'il ignorait tout du mythe d'Héro et de Léandre. Elle s'empressa de lui raconter l'histoire d'Héro, que son père avait enfermée dans une tour sur une petite île du Bosphore, pour que Léandre ne puisse la voir. Mais, chaque soir, elle montait au sommet de la tour avec une lampe afin qu'il puisse se repérer tout en nageant. Et toutes les nuits, ils avaient donc leurs rencontres secrètes. Cependant, par un soir de tempête, la lampe s'éteignit. Au matin, elle trouva Léandre noyé. Elle ne le tira pas des flots, mais s'y jeta afin de rejoindre celui qu'elle aimait.

« Aurais-tu fait comme Héro ? demanda-t-elle.

– Oui », répondit-il sans sourciller.

Elle le regarda dans les yeux. Il avait répondu un peu trop vite.

« Tu en es sûr ?

– Je le crois, dit-il avec un temps d'hésitation.

– Je peux te faire confiance ? » L'ambiance était tendue. Elle ne le laissa pas répondre.

« Parlons plutôt des deux villes que tu aurais tant aimé visiter : Rome et Constantinople.

– Oui », fit-il soulagé, comme si elle le tirait d'une embuscade. Il n'avait jamais rencontré personne qui soit capable de présenter aussi bien des lieux et des villes, à l'exception de Jon Loptsson. Quand elle racontait, on aurait cru qu'ils volaient ensemble vers l'endroit en question. Mais il ne remarquait pas les sous-entendus de Margrete. Il voyait tous les détails lorsqu'elle parlait, il entendait les ragots, les scandales, les prières et les marchandages autour d'une douzaine d'œufs. Elle lui donnait à voir les mendiants aveugles qui, le matin, tendaient la main et qui, l'après-midi, avaient recouvré la vue et se livraient à une autre activité.

C'était elle qui lui décrivait comment l'eau pouvait jaillir dans toutes les directions, avec des jets minces ou larges qui s'élevaient en arcs de cercle et étincelaient dans le soleil. C'était elle qui lui faisait voir l'écume fine se muer en vapeur d'eau. Porté par la voix de Margrete, il entendait même les clapotis mélodieux. Il n'avait jamais vu une fontaine.

Soudain, le ton de Margrete se fit plus brutal.

« Même s'il s'agit de la ville où sont consacrés les archevêques de Lund et de Nidaros, c'est aussi la ville qui a exécuté les apôtres Pierre et Paul. Pierre a été crucifié par Néron, mais Paul était citoyen romain et, d'après la loi, ne pouvait être soumis à la torture. Il fut donc décapité. Aujourd'hui, des lis blancs fleurissent à l'endroit où il fut supplicié. Rome est la ville qui a honoré Néron, qui a édifié le Colisée au fond des jardins de l'empereur, la ville qui, au fil des siècles, a fait tuer des milliers et des milliers de gens et de bêtes pour le plus grand ravissement du public. Et c'est dans cette ville que va s'installer le pape. »

Au lieu de lui laisser finir sa phrase, Snorri l'interrompit :

« Où veux-tu en venir ?

– Je t'ai demandé si je pouvais te faire confiance. Ne me dis pas que tu ignorais ce qui s'est passé en 1204. Tu avais vingt-sept ans. Et si tu ne le savais pas alors, tu étais au courant lorsque tu as rédigé la *Heimskringla.* »

Dès son arrivée à Rome, elle avait demandé à voir le plus de reliques possible. Elle voulait voir la couronne d'épines, des morceaux de la Vraie Croix, et les clous. Le franciscain lui expliqua que la plupart des reliques étaient autrefois conservées à Constantinople. Huit cents ans auparavant, Hélène, la mère de l'empereur Constantin, avait fait transporter ces mêmes reliques, par bateau, de Jérusalem à Constantinople. Rome n'en possédait presque aucune. Tout ce qui existait de reliques à Sainte-Sophie et dans les autres églises de Constantinople avait été brûlé ou volé. Non pas par les infidèles, mais par les croisés de Rome et de Venise, par les Normands et les Francs. À Rome, Margrete rencontra des descendants des réfugiés qui avaient échappé d'un rien aux flèches, aux épées et aux flammes. Après un épuisant périple à dos d'âne, à cheval ou à pied, le long de la Méditerranée, en passant par Pristina, Dubrovnik, Trieste et Venise, ils étaient arrivés à Rome. Et là, ils avaient compris que c'était le pape en personne qui avait donné sa bénédiction à la flotte et à l'armée vénitiennes, qui avaient pris part au massacre de leurs frères chrétiens de Constantinople.

Après s'être allié à Constantinople et aux Byzantins pendant trois croisades, le pape les mit dans le même panier que les infidèles, parce qu'ils permettaient la pratique de plusieurs religions dans la ville. Les grandes familles vénitiennes voulaient le monopole du commerce avec l'empire gigantesque. Constantinople était le centre et le soleil de cet empire qui s'étendait des remparts de Gênes et de Ravenne jusqu'à Athènes et Sparte, des côtes d'Afrique du Nord jusqu'au Tigre et au désert du Sinaï. Personne n'avait vu de ville plus riche et plus puissante que Constantinople. Elle fut mise à sac. Margrete avait vu, de ses yeux vu, des parties du butin ramené à Venise et à Rome. Tout ce qui était or et pierres précieuses sur les crucifix et les icônes avait été volé. Même Sainte-Sophie, la plus grande église de la chrétienté, avait été pillée, tandis que les prêtres et les moines se vidaient de leur sang autour de l'autel. Que la paix du Seigneur soit toujours avec eux.

« Et tu n'en as pas entendu parler ? Je t'ai demandé si je pouvais te faire confiance. Et tu ne réponds pas, Snorri ! Pourquoi as-tu gardé le silence sur cette trahison et sur les assassinats de ceux qui faisaient preuve de miséricorde à Constantinople ? Écris-tu l'histoire pour les papes et Mammon ? » Elle ajouta, d'un ton plus bas : « Toi aussi, tu pourrais être victime d'une grande trahison. »

Cette nuit-là, ils ne partagèrent pas la même couche.

Le lendemain matin, ils ne s'adressèrent guère la parole. Ils marchèrent lentement sur la rive, côte à côte, en contemplant la mer jusqu'au monastère de Videy. Snorri lança des cailloux dans l'eau. Margrete baissa la tête. Soudain, elle l'embrassa, longuement, avec fougue. Il lui rendit son baiser, avec un peu plus de retenue. Elle défit la ceinture de Snorri et lui baissa son pantalon.

« Des moines pourraient passer par ici », dit Snorri.

Elle lui prit les mains et s'accroupit. Il la suivit. Elle l'étendit doucement sur les pierres du rivage. Il se laissa faire. Il sentait la moindre pierre contre son dos, ses hanches et ses cuisses. Il la dévisagea, sans ciller. Les joues de Margrete étaient empourprées. Elle souleva sa jupe et enfourcha Snorri.

Il se rappelait que les yeux de Margrete brillaient.

Snorri toussa, il se redressa dans son lit. Il alla jusqu'à sa table, prit la tasse à moitié pleine de soupe qui restait de la veille. Il la posa sur les braises un moment avant de la porter à ses lèvres. Ses gestes étaient lents et hésitants. Il n'était pas pleinement réveillé. Il songea à la maison en pierre, à l'herbe verte, aux chevaux, au dos un peu voûté de Jon Loptsson, aux gens affairés d'Oddi, en particulier à Gyda, qui trouvait les meilleures plumes pour écrire. Il but deux gorgées et regagna son lit. Il ferma les yeux afin de s'endormir, et de dormir longtemps. Il sourit, incapable d'expliquer la raison de sa joie. Il voulait retrouver le sommeil, retrouver cet état où il ne lâchait rien, et y rester pour toujours.

L'homme qui avait encore quelques heures à vivre regarda fixement le plafond, avant de finir par se rendormir.

Non loin de là, Gissur Thorvaldsson apprit de la bouche de Torkild que Sleipnir avait été tué comme convenu. Torkild lui demanda s'il devait faire pareil avec Margrete. Gissur secoua la tête et lui dit que sa rancune l'aveuglait. Torkild devait se contenir, sinon il n'aurait qu'à disparaître.

« D'ici demain soir, Snorri sera mort. Mais tu n'y participeras pas. Tu n'as pas assez de sang-froid. En revanche, tu fais un bon éclaireur. Au revoir », dit Gissur en lui tournant les talons pour aller parler aux autres. Il restait encore une heure avant minuit.

22 septembre 1241

L'heure était venue, et la porte ouverte. Ils ne rencontreraient pas de résistance. À minuit, ils s'élancèrent, non pas un homme ou deux, mais soixante-dix, et tous en armes. Ils arrivèrent à cheval et à pied. Dix hommes montèrent la garde à l'extérieur du rempart, deux se placèrent à la porte Sud, ouverte, et deux à la porte Nord. Il y avait six hommes à cheval qui patrouillaient, par groupes de trois, à l'est et à l'ouest de Reykholt, afin de prévenir toute tentative de fuite. Les cinquante autres se déployèrent en cercle, à l'intérieur.

L'ultime forme d'orgueil, et la plus répandue, est de se rendre compte trop tard que la mort vous frappera, vous aussi. Snorri n'allait pas voir la lumière du jour se répandre graduellement sur Reykholt.

Il était agité, et ne cessait de se retourner dans son lit, d'un côté sur l'autre. Il se réveilla vers trois heures du matin, et se mit à faire les cent pas dans la pièce. Il se recoucha. Que devait-il faire ? Son corps se tourna sur le côté gauche. Il redressa ses jambes sous la couverture. C'est seulement à ce moment que Snorri comprit qu'il ne parviendrait jamais à écrire une page entière sur lui-même et son temps. Et si les phrases inachevées tombaient entre de mauvaises mains ?

Snorri alluma la chandelle et brûla ses brouillons.

Avait-il été assez clair avec Margrete ? Il l'aimait. Que faire ? Il s'allongea à nouveau sur son lit. Il fallait qu'il la revoie. Il mit la main droite sous sa tête. Il ne devait pas subsister de doute dans l'esprit de Margrete au sujet de sa sincérité. Pauvre Orækja ! Certes, il présentait des côtés brutaux, mais il avait un bon fond. Qui n'a pas commis d'erreurs ? Moïse avait tué plus d'une personne. David avait envoyé des serviteurs à la guerre. Dieu avait pardonné à saint Olav ses années les plus violentes avant que celui-ci ne connaisse le salut et soit en mesure de pardonner à son tour. Et que dire d'Harald l'Impitoyable ? Même s'il était un poète compétent, la Terre n'avait guère connu de roi plus rude. Et il savait aussi faire preuve de bonté. Quant à lui-même, Snorri Sturluson, son comportement n'avait pas été irréprochable non plus.

Le front de Snorri était un arc légèrement bombé qui tombait sur des sourcils broussailleux et blond foncé. Ses yeux étaient enfoncés dans son crâne, comme si son regard cherchait à se cacher. Ses paupières étaient rouges et charnues. Il se redressa en sursaut. Mais qu'était-ce donc que ce bruit ? Il sortit prudemment du lit, mais se vêtit en vitesse. Ce n'était tout de même pas le cheval de Margrete, ni celui d'Orækja ? Ce serait trop beau pour être vrai. Même dans son demi-sommeil, il n'avait pas oublié la vision de Sleipnir.

Pourquoi son vieil ami Sturla Bårdsson ne s'était-il pas manifesté ces derniers temps ? C'était maintenant qu'il aurait eu besoin de lui. Sturla avait toujours dit que si Snorri se faisait du souci pour Orækja, ou pour autre chose, Snorri devait se consoler en se rappelant que, à l'origine, il était un fils de paysan qui avait réussi. Mais les bons conseils de son ami ne lui étaient d'aucun secours.

Presque par hasard, il jeta un coup d'œil dehors. Qui donc avait allumé tous ces flambeaux ? Il distingua Kyrre et Gyda. Mais qui étaient les autres ? Où s'étaient-ils cachés ces derniers jours ? Le charpentier, le berger, et même le voilier qui s'occupait des réparations du bateau que Skule avait offert à Snorri étaient là. Ils s'approchaient de la porte Sud. Mais que fabriquaient-ils ? Kyrre levait les bras au ciel, comme s'il tenait à montrer qu'il ne portait pas d'arme. Ils s'arrêtèrent au milieu du terrain qui entourait les maisons. Snorri n'entendit pas leurs paroles. Ils ôtèrent leurs chaussures et leurs bottes ! Snorri s'accroupit, se déplaça d'un pas vers la droite afin de mieux voir. Que faisaient-ils ? Ils s'approchaient de la porte, pieds nus, passant à côté des restes de Sleipnir et du bassin souillé. Et qui étaient les hommes qui les suivaient ? Ils portaient épée et poignard à la ceinture. Plusieurs avaient un arc à l'épaule et un carquois de flèches dans le dos. Mais pourquoi est-ce que personne ne les avait arrêtés ? Quelqu'un pointa le bras dans sa direction. Snorri se baissa et se faufila jusqu'au banc. Mais que s'imaginaient-ils donc ?

Tumi, Sturla et Orækja n'étaient sûrement pas loin. Les intrus auraient bientôt droit à une sacrée surprise ! À Saudafjell, Snorri et les trois hommes s'étaient juré assistance mutuelle. Il suffisait d'être patient. Pas de doute, ils viendraient. Évidemment, ils les avaient laissés pénétrer dans Reykholt comme à l'intérieur d'une nasse. Les trois compères allaient bientôt surgir avec des centaines d'hommes. Snorri fit les cent pas le long de la table. Il lui fallait tenir, gagner du temps, se rendre introuvable.

Mais qui était à la tête de ces hommes, là, dehors ? Il alla jusqu'à l'ouverture dans le mur, se hissa sur la pointe des pieds et jeta un bref coup d'œil. Là-bas, en retrait, un des hommes parlait. Les autres écoutaient. Ce n'était pas possible ! Lui ? Vraiment ? Snorri se baissa vivement. Il refusait d'en voir davantage. Il en avait vu assez. Il avait bien reconnu l'homme qui menait les assaillants avec la plus grande détermination. Ses gardes à lui restaient invisibles. Salauds ! Poltrons ! Et là, derrière le chef? Il ne l'avait jamais vu porter une arme. Pourtant, pas de doute. Snorri faillit ouvrir la porte et le rappeler à l'ordre. Torkild s'entretenait avec un homme qu'il n'avait jamais vu. À cet instant, il comprit. Il était cerné. Il avait la gorge serrée, comme si on y avait passé un nœud coulant.

La vie ne se termine pas bien. Mais il est bon qu'elle ait une fin. Snorri n'était pas en état de mesurer ce qu'il gagnerait à mourir. Il avait souvent affirmé qu'il ne craignait pas la mort, mais qu'il préférerait ne pas être là quand elle arriverait.

Les pas de Snorri se firent de plus en plus courts. Son souffle était lourd et irrégulier. Il allait s'en sortir. Il le fallait. Il fallait qu'Orækja vienne le sauver ! Lui seul réussirait ! Il allait écraser les assaillants, sans hésitation, sans merci ni pitié.

« Orækja ! cria-t-il. J'ai besoin de toi, mon fils. Viens ! C'est urgent. Je ne mérite pas ton dévouement, mais viens, pour l'amour de Dieu. » Après un bref silence, il ajouta : « Oui, tu es bien mon fils. »

Il s'immobilisa au milieu de la pièce. Sa respiration même était agitée. Snorri s'imagina un grand cheval blanc qui se débattait dans un marais. Un moment, il lutta, tentant de retrouver la terre ferme sous ses sabots. Plus il s'acharnait, plus il s'enfonçait. Et il disparut.

La vallée de Reykholt avait toujours été accablée par les malheurs, dès le moment où Torlaug avait épousé Torir

Torsteinsson, il y avait de cela presque cent ans. Leurs enfants naissaient en bonne santé, cependant ils mouraient peu après. Éperdue de chagrin, Torlaug partit en pèlerinage à Rome. Son mari ne voulait pas voyager mais, comme il aimait sa femme, il la suivit. En cours de route, elle accoucha en Norvège. Ils laissèrent l'enfant en nourrice chez de vieilles connaissances. Mais aucun des parents ne revint. Torir mourut le premier, à Rome, puis Torlaug à Lucques, après avoir prié au pied du Volto Santo. La veille, elle avait appris que son seul enfant venait de mourir en Norvège. Táll Sólvason, prêtre de son état, considérait que l'imposante fortune de sa fille lui revenait de droit. Les membres de la famille du mari soutenaient qu'ils étaient les seuls à pouvoir hériter et firent appel à Sturla, le père de Snorri, pour défendre leur cause. On décida de se retrouver à Reykholt pour parvenir à un arrangement. Après un après-midi entier de discussions, Torgerdur, la femme de Táll, trouva que l'on avait suffisamment parloté. La femme sortit un couteau et en frappa Sturla. Elle voulait lui donner une allure qui s'accordait à celui auquel il ressemblait le plus, c'est-à-dire Odin, le dieu borgne. C'est en tout cas ce qu'elle cria en visant un de ses yeux. Elle rata son coup. Avant d'être maîtrisée, elle avait réussi à entailler la joue de Sturla d'une profonde balafre. Táll, qui avait perdu sa fille, son beau-fils et tous ses petits-enfants, déclara que Sturla pouvait exiger ce qu'il voulait en compensation de l'attaque de sa femme. Normalement, entre vingt-cinq et trente vaches correspondaient à la compensation pour le meurtre d'un homme libre. Sturla demanda le double. Táll répliqua que, après tout, Sturla n'était pas mort. En vain. L'étape suivante aurait été une guerre civile, et les chefs d'Islande ne voulaient pas de combats supplémentaires. Le plus grand des chefs, Jon Loptsson, d'Oddi, fut envoyé comme médiateur dans l'affaire, car les deux parties avaient confiance en lui. Il se proposa d'élever Snorri, le fils de Sturla âgé de trois ans. Le père accepta l'offre.

Snorri n'avait jamais eu aussi peur. Il ne comprenait pas d'où pourrait venir l'aide. Ses gens s'étaient rendus sans combattre et avaient quitté Reykholt pieds nus, ils étaient passés à côté des restes de Sleipnir et avaient franchi la porte tels des moutons, pour disparaître hors de sa vue. Jésus n'avait qu'un seul Judas. Lui, Snorri, il en avait une horde entière. Combien étaient-ils ? Vingt ? Six hommes à cheval s'approchaient. Mais combien pouvaient-ils être, en tout ? Il se mit à transpirer et le sang à lui battre les tempes.

Torkild sourit à l'homme à côté de lui.

Ils échangèrent quelques mots, en murmurant. L'homme aux cheveux noirs nota que Torkild avait soudainement commencé à parler de Snorri au passé.

Dehors, les assaillants étaient tellement sûrs de leur victoire qu'ils parlaient à voix forte et criaient. Snorri était presque en mesure d'entendre chacune de leurs paroles. Il s'approcha de la table, dans la pièce toujours plongée dans l'obscurité. Il s'y appuya des deux mains. Il leva d'abord la jambe droite, puis la gauche, et monta sur le banc. Les jambes tremblantes, il regarda par le trou du mur et observa celui qui menait les assaillants. Ils étaient au moins cinquante ! Et là-bas, il en venait encore ! Cela faisait donc au moins soixante-dix hommes. En ce qui concernait leur chef, il n'y avait pas de doute, il s'agissait de Gissur Thorvaldsson. Qu'avait-il donc rêvé, la nuit précédente ? Gissur n'apparaissait-il pas dans son rêve ? Et Kolbeinn, n'était-il pas aux côtés de Gissur ? Snorri ne compris pas qu'il n'obtiendrait jamais de réponse. Il maudit Gissur pour sa rapacité, sa soif de pouvoir. Snorri eut l'impression de reconnaître jusque dans sa cachette la puanteur dégagée par ses anciens beaux-fils. Pourtant, il avait serré Gissur dans ses bras à chacune de leurs rencontres.

Si seulement Tumi, Sturla et Orækja pouvaient surgir ! Il fallait qu'ils arrivent à temps.

Snorri et Gissur s'étaient retrouvés à Thingvellir quelques mois auparavant. L'ambiance avait été agréable et enjouée. Ils s'étaient serré les mains, ils avaient parlé chaudement de Lille-Jon et répété que, dans des temps troublés, il était bon qu'ils fussent amis. Gissur avait parlé le plus. Il n'avait cessé de répéter combien il estimait Snorri. L'espace d'un instant, Snorri s'était demandé si toutes ces belles paroles ne cherchaient pas à masquer quelque chose. Mais cette pensée n'avait fait qu'effleurer son esprit, et il avait accepté tous ces compliments. Il aimait ça. Certes, il avait baissé les yeux lorsqu'ils avaient presque dépassé la mesure. Mais il n'avait pas bougé, il n'avait pas protesté. Comme un gamin gêné, il avait laissé à ses paupières le soin de dissimuler sa joie.

Soudain, Gissur s'était tu. Son expression indiquait qu'il portait un secret. On aurait dit qu'il se demandait s'il devait le révéler à Snorri. Snorri avait essayé de lire ses pensées. Gissur déclara, d'un ton hésitant, que Snorri devait transmettre ses amitiés à Hallveig qui, d'après ce qu'il avait entendu dire, était fort malade. Snorri avait répondu qu'il ne fallait pas exagérer, et qu'il ne manquerait pas de saluer Hallveig. Il avait longtemps hésité avant de se rendre à l'Althing. Ils s'étaient mis à parler de leurs selles, à se questionner sur les mérites respectifs de leur sellier, avec de moins en moins d'enthousiasme. Maintenant, Snorri comprenait pourquoi le regard de Gissur s'était fait si lointain.

Snorri lui avait dit au revoir le premier. Il était monté sur Sleipnir. Comme il était le plus âgé, il était normal qu'il parte en premier. Il avait claqué la langue pour faire avancer son cheval, et tiré sur les rênes. Ils s'étaient adressé un sourire, et salués brièvement. Cela avait été leur dernière rencontre.

Oui, Gissur portait un secret. Et oui, il avait été sur le point de le révéler. Il l'avait gardé pendant une année entière, il n'avait cessé de se demander s'il devait le confier à Snorri. Pendant un moment, il avait songé à le confesser d'abord à l'un de ses proches. Cela l'aurait peut-être aidé à prendre une décision. Il aurait bien eu besoin de couvrir ses arrières. Snorri aurait certainement payé une somme considérable pour apprendre ce qui se tramait. Mais quelle que soit sa décision, elle aurait eu de graves conséquences. N'aurait-il pas préféré, au fond, ne jamais recevoir la lettre du roi Håkon ? Dès l'instant où elle lui était parvenue, il avait été déchiré par le doute. Il l'avait consultée maintes fois, et relu les caractères soigneusement calligraphiés sur le parchemin. Gissur avait été bouleversé par l'étendue du pouvoir qu'il se voyait octroyé. La lettre était comme une épée magique. Au bout de quelques semaines, il avait commencé à se demander pourquoi on lui avait confié cette mission. Puis la méfiance l'avait envahi. Le mettait-on à l'épreuve ? S'agissait-il d'un piège ? Mais il ne tarda pas à constater que la lettre était authentique, et qu'elle constituait un ordre. S'il ne l'exécutait pas, le malheur ne tarderait pas à s'abattre sur lui. L'automne, l'hiver et le printemps passèrent, sans qu'il parvienne à prendre parti.

La rencontre avec Snorri, à l'Althing, l'avait poussé à faire son choix. Pourtant, le regard doux de Snorri, cet après-midi-là, l'évocation de leurs souvenirs communs, de Lille-Jon, et de son propre mariage à Reykholt, jadis, n'avaient pas aidé Gissur à trancher.

Gissur avait demandé à Snorri s'il n'y avait pas eu de noces à Reykholt, à la fin mai, entre la sœur d'Hallveig et le plus jeune des fils de Sighvatr. Gissur savait que le mariage était passé, mais il lui fallait bien dire quelque chose.

Snorri n'avait pas répondu, se contentant de déclarer qu'il devait y aller, car il avait promis de s'entretenir avec l'homme qui disait le droit à l'Althing. Il avait juste eu le temps de dire au revoir. Au cours de cette année, Snorri était devenu une proie facile. Les risques étaient minimes. Snorri était désormais marqué par l'âge, il ressemblait à un morse aux paupières lourdes. En outre, Oraekja était devenu trop dangereux, et trop imprévisible. On voyait de plus en plus clairement que Snorri ne parvenait plus à contenir ni à maîtriser son fils. Le pouvoir et l'influence de Snorri s'effritaient également. Les frères et la famille n'étaient plus aussi soudés que jadis et, pour finir, à Reykholt comme dans les domaines voisins, bien des gens avaient fui ou se mettaient à contrecarrer les ordres de Snorri, sans qu'il le sache. Oui, quand Snorri n'avait pas Oraekja près de lui, il était une proie facile.

À peine Gissur avait-il cru prendre sa décision que le doute pointa. Parviendrait-il à rallier suffisamment de gens autour de lui ? Y avait-il assez d'hommes capables de porter les armes et qui, en même temps, détestaient Snorri au point de vouloir le tuer ? Quand il se mettrait à rassembler les gens, il devrait souligner que les méfaits d'Oraekja étaient guidés par Snorri. Tant qu'il eut Snorri en face de lui, l'idée de le tuer lui parut impossible. Mais lorsqu'il vit de dos la lourde silhouette du vieillard indolent, cela lui rappela combien ce serait facile. Et cela constituerait le chemin le plus court pour devenir l'homme le plus puissant d'Islande. Quand Gissur contempla le dos de Snorri et la queue de Sleipnir, le sort du vieil homme était scellé.

Le roi Håkon avait envoyé la lettre deux semaines après la mort du duc Skule. L'homme qui apporta la missive royale à Gissur était aussi le beau-fils de Snorri. Certes, celui-ci avait eu moins de contacts avec Gissur et Kolbeinn. Mais, à l'instar de Kolbeinn, il avait été marié avec Hallbera. Hallbera avait divorcé d'Arni Oreida, « le Tumultueux ». Et cela, Arni ne pouvait le pardonner ni à Hallbera ni à son père. Arni se sentait rejeté. Il avait besoin du rang que ce mariage lui avait conféré. Au cours de l'automne, Arni avait répété que Snorri était assez âpre au gain pour vendre sa fille deux fois. Là, le beau-fils éconduit tiendrait sa vengeance.

Il avait été plus facile pour Snorri d'accueillir Kolbeinn, et de le fréquenter. Kolbeinn n'y pouvait rien si Hallbera était morte de maladie. Snorri avait presque éprouvé de la pitié à son égard. Gissur vérifia que le sceau du roi n'avait pas été brisé par Arni lorsque ce dernier lui remit la lettre. Cela ne l'aurait pas étonné, mais, heureusement, le sceau était intact.

Cinq ans auparavant, Gissur avait tué le propre représentant du roi en Islande, Sturla Sighvatsson. En 1223, lorsque Håkon avait fini par ne plus croire que Snorri tiendrait parole, et su qu'il n'amènerait pas l'Islande sous la couronne norvégienne, il avait confié cette charge à Sturla, le neveu de Snorri. Selon Håkon, puisque Gissur avait précisément eu le courage de défier l'injonction royale, il était peut-être le plus qualifié. Il s'agissait de le mettre de son côté et de lui faire miroiter la possibilité de devenir l'homme le plus puissant d'Islande. En outre, plusieurs émissaires avaient rapporté que Gissur et sa famille, les Haukdælir, nourrissaient désormais une haine farouche contre les Sturlungar, et cela parlait en sa faveur. Le roi n'hésita pas longtemps. Le meurtrier de Sturla Sighvatsson était l'homme de la situation pour faire triompher la volonté royale.

Durant deux jours, Gissur fut sur le point de changer d'avis, mais à partir du troisième, après s'être rendu compte à quel point il était aisé de trouver des appuis, sa décision fut irrévocable.

Cela faisait presque vingt ans que Snorri avait donné sa parole à Skule et à Håkon. Cela faisait six ans que le roi avait fait comprendre à Skule que Snorri ne tiendrait jamais sa promesse. Dans la lettre du roi, il était dit que Gissur devait essayer de ramener Snorri vivant en Norvège. Si cela ne réussissait pas, il fallait le tuer. Le roi Håkon écrivait que, à compter de ce jour, Snorri devait être considéré comme un *landrádamadr*, un traître à sa patrie.

Gissur et Kolbeinn, les deux beaux-fils de Snorri, s'étaient rencontrés quelques jours plus tôt, dans les montagnes entre l'est et l'ouest. Là, le plan final avait été dressé. Gissur réunit rapidement les hommes dont il avait besoin. Ormr et Klængr, ses deux neveux, Loftr, le fils de l'évêque qui avait choisi de prendre le parti des pauvres, et Arni Oreida comptaient parmi les meurtriers potentiels les plus résolus. Après avoir réuni autour de lui l'ensemble de sa troupe à une lieue de Reykholt, il monta sur un gros rocher. D'une voix forte, il lut la lettre du roi de Norvège. Quand Gissur déclara qu'il était nommé jarl d'Islande par le roi, certains, les plus proches, acquiescèrent du chef, et leur approbation fut reprise par les autres. Il demanda ensuite si quelqu'un pensait qu'il serait possible de conduire Snorri en Norvège de son plein gré. Tous firent non de la tête, sauf Ormr. Gissur ne sut pas comment interpréter ce geste. Il avança de deux pas vers Ormr et murmura : « Y aurait-il quelque chose dont tu voudrais me parler en particulier ? »

Ormr secoua la tête encore plus fort. « Non, non, rien. C'est seulement que j'ai du travail à faire au domaine. »

Klængr se porta garant d'Ormr. Ce dernier ne trahirait rien. Une minute ou deux s'écoulèrent avant que Gissur, toujours en chuchotant, ne lui dise qu'il pouvait s'en aller. Si l'on accordait trop d'importance au changement d'avis d'Ormr, d'autres membres de sa troupe se mettraient peut-être à douter à leur tour. Et cela, il devait l'éviter à tout prix. Gissur craignait qu'ils soient pris de la même hésitation dont il avait été la proie pendant plus d'un an.

Klængr tira la manche de Gissur et lui demanda s'il était possible de voir le sceau du roi. Gissur devina ce que cachait cette requête. Klængr allait-il flancher, lui aussi ? À contrecœur, Gissur déroula le parchemin qui portait le sceau du roi, en bas. Klængr passa le doigt sur les lettres jusqu'au sceau rouge foncé. Le petit bout de cire montrait une figure royale, jeune, assise sur un trône. De la main droite, il tenait une épée, prête à frapper. Il était écrit dans un cercle, en latin, qu'il s'agissait du sceau de Håkon IV Håkonsson, roi de Norvège.

Gissur s'impatienta. Klængr passa une nouvelle fois le

doigt sur le sceau, il scruta la figure du roi de Norvège et la légende qui l'entourait. Ormr allait monter à cheval, mais il hésita en voyant Klængr qui restait près de Gissur. Il revint vers eux et nota l'expression intriguée de Gissur. Ormr se plaça derrière son frère. Gissur demanda, à voix basse :

« Alors, Klængr, tu ne veux pas y aller, toi non plus ?

– Bien sûr que si. C'est seulement que je n'avais jamais vu un sceau royal. »

Gissur envoya deux frères à Borgarfjord, en éclaireurs. L'un était Arni Beiskr, « le Rugueux », l'autre Svartr. Quelques mois plus tôt, Orækja avait trompé Svartr lors de l'achat d'une vache. Les deux frères s'étaient rendus à Reykholt, afin d'obtenir l'argent de Snorri. Snorri avait appelé son fils, lequel, par hasard, passait la nuit au domaine. Orækja avait immédiatement tiré son épée. Arni avait récolté une méchante blessure dans le haut du dos avant que les deux frères ne parviennent à s'enfuir.

Non loin de Borg, là où, en son temps, Snorri avait épousé Herdis, la fille de Bersi, un riche prêtre, Arni et Svartr aperçurent au loin un petit homme courbé. Il avait attaché son cheval à un gros buisson. Ils crurent le reconnaître. Ils menèrent leurs montures derrière une butte, descendirent de cheval et se parlèrent à voix basse. Était-il vraiment seul ? Impossible. Normalement, il était entouré d'hommes en armes qui devaient veiller sur sa sécurité. On aurait dit qu'il se parlait tout seul. Sa bouche s'ouvrait de temps en temps. Il hochait la tête, levait les bras au ciel et marmonnait. Il avait l'air de jurer. Il leva les yeux en l'air et se mit à taper du pied.

Ils ne l'entendaient pas. Son cheval hennit. Lui, il avait senti qu'il y avait quelqu'un à proximité. Les deux hommes caressèrent leurs montures afin de les calmer, et pour qu'elles ne répondent pas aux hennissements. Ils n'avaient pas d'arc, ni de flèches. Certes, ils avaient chacun une épée, un poignard et une lance attachés à leur selle. Ils ne manquaient pas totalement d'expérience du combat. Mais l'homme qui se trouvait à deux cents mètres d'eux, quoique perdu dans ses pensées, avait un arc et des flèches. Et c'était l'un des guerriers les plus accomplis de l'Islande entière.

Arni et Svartr avaient été envoyés en éclaireurs car ils étaient bons cavaliers. Ils allaient vite, ils avaient de l'endurance et savaient pousser leurs montures. Ils devaient éviter d'engager le combat à n'importe quel prix. S'ils dévoilaient ce qui allait arriver à Reykholt, ils le paieraient de leur vie. Mais là, il leur fallait s'approcher de leur homme encore un peu. S'ils tombaient sur Orækja, l'ordre était de rejoindre Gissur à bride abattue.

Gissur souhaitait surtout qu'Orækja soit le plus loin possible quand il frapperait. Si Orækja parvenait à s'échapper, on pouvait être certain que lui et ses hommes tendraient une embuscade à Gissur. Les frères tombèrent d'accord. Svartr allait ramper encore un peu afin de s'assurer qu'il s'agissait bien d'Orækja. Arni tiendrait les chevaux prêts. Si Svartr était tué ou blessé, Arni foncerait avertir Gissur, sans essayer de sauver son frère. Et s'il était capturé, l'ordre était sans équivoque : Svartr devait se suicider. Svartr contourna prudemment la butte, puis se mit à ramper. Son regard allait du cheval à l'homme qui se parlait tout seul. Quand il ne poussait pas de hauts cris, il s'écoulait de longs moments pendant lesquels il restait silencieux. Ils l'entendirent renifler. Pleurait-il ?

Orækja passa entre deux gros buissons et tendit un

filet. Que faisait-il ? se demanda Svartr. Il regarda le cheval. Celui-ci ne faisait plus de bruit, mais il tapait nerveusement le sol avec ses sabots. Svartr nota qu'il portait deux paniers. Oraekja était en train de chasser au panneau ! Svartr observa l'homme une fois encore. Oui, c'était bien Oraekja. Il trembla. Oraekja fit craquer une petite branche, et regarda dans sa direction. Si Oraekja le découvrait, sa flèche ne le raterait pas. Oraekja était l'un des meilleurs archers d'Islande, nul n'en doutait. Dès son plus jeune âge, il s'était vanté de tirer à l'arc aussi bien que le grand Egil Skallagrímsson.

Le visage d'Oraekja se braqua droit sur Svartr. Ce dernier retint son souffle. Oraekja l'avait-il vu ? Oraekja resta immobile. Svartr se terra à plat ventre, il sentait la mousse contre son menton. Ses yeux regardaient fixement devant lui, à travers les petits rameaux de la bruyère, tout n'était que vert et marron. Non loin, il y avait Oraekja, qui passait l'index droit sur son nez, et qui s'éclaircissait la gorge. Oraekja, le fils fou de Snorri. Le guerrier imprévisible, l'outil totalement dévoué à son père, seul, à chasser au faucon. Oraekja avait tendu un piège, un panneau entre les buissons, sur le monticule, à quelques mètres de lui. Svartr plongea le nez dans la bruyère. Il entendait clairement les deux grouses qui servaient d'appât. Svartr était coiffé d'un bonnet gris. Il espérait que son bonnet, son pantalon et sa veste marron lui permettraient de se fondre dans le paysage. En entendant les cris des grouses, Svartr osa respirer. Il sentit l'odeur de terre sèche. La bruyère lui chatouillait les narines et les joues. Il entendit les marmonnements d'Oraekja, qui s'approchait. Puis les pas s'arrêtèrent. Svartr entendit des battements d'ailes au-dessus de sa tête. Les pas s'éloignèrent. Il jeta un bref coup d'œil au-dessus de la bruyère.

Un faucon planait au-dessus des deux grouses dans le panneau. Le faucon suspendit son vol, perdit un peu de hauteur, tendit la tête et le bec, puis il plongea, les ailes collées au corps. Svartr vit voler les plumes de grouse, et battre une aile de faucon dans le filet. Orækja accourut. Il portait un gant à la main droite. Il défit la corde qui retenait le filet. De sa main gantée, il attrapa le rapace et parvint à l'arracher de la grouse à moitié dévorée. Svartr vit qu'Orækja tentait de mettre le faucon dans un des paniers, sur son cheval. Mais avant qu'il n'ait le temps de le refermer, le faucon s'était dégagé, et enfui à tire-d'aile.

C'est à ce moment que Svartr aurait dû détaler. Au lieu de cela, il resta au sol. Orækja se retourna et vint vers lui. Svartr enfonça la tête dans la bruyère et retint son souffle. Il entendait les pas qui avançaient dans la bruyère. S'il levait le nez et tentait de situer précisément où se trouvait Orækja, il risquait de dévoiler sa présence et de s'exposer aux pires tourments. S'il restait sur le ventre avec la tête plongée dans la terre, au moins il ne parlerait pas. Orækja comprendrait tout de suite qu'il était là pour l'espionner, et qu'il devait rendre son rapport à quelqu'un. Et Orækja ne le lâcherait pas avant de savoir le nom de ce quelqu'un.

Même si Orækja n'avait rien vu d'alarmant à Reykholt lors de son dernier passage, il était extrêmement méfiant. Il ne doutait pas que son père et lui se rabibocheraient bientôt. Parce que Snorri était intelligent, tout finirait par s'arranger.

Svartr ferma les yeux du plus fort qu'il put. Il entendait la respiration lourde d'Orækja. Orækja s'arrêta. Le silence se fit. Svartr voulut déglutir. Il se retint. Rien que ce bruit-là serait entendu à des lieues à la ronde. Sa bouche était sèche, sa tête cognait. Il ne savait pas d'où venaient ces battements. Les chevaux, son frère, tout le monde devait entendre les battements de son cœur et de son sang, de sa tête et de ses os. Ses yeux et son cœur étaient sur le point de s'enfoncer sous la bruyère, sous la terre, jusqu'aux enfers brûlants. Oraekja ne bougeait pas.

Était-il repéré ? Et s'il faisait le mort ? Ou valait-il mieux se relever et courir à toutes jambes jusqu'à son cheval ? Arni l'avait déjà détaché et le tenait par la bride. Alors, devait-il faire le mort ou se mettre à courir ? Il entrouvrit les yeux. Il avait glissé son épée sous lui lorsqu'il s'était allongé. Elle lui piquait la poitrine et la cuisse. Oraekja s'approcha avec prudence de la chose grise et marron qui gisait dans la bruyère. Il se disait qu'il devrait retourner à Reykholt. Même si son père ne le laissait pas entrer, il pourrait au moins monter la garde sur le domaine. Tout lui avait paru d'un calme tellement étrange, la dernière fois. Il chercha son souffle.

Quelqu'un avait-il jeté ses vêtements par ici ? Il s'approcha encore. Il lui sembla qu'il s'agissait d'un être humain. Un cadavre, ici, au milieu de la lande ? Il regarda autour de lui. Une grouse s'envola. Il n'y avait personne. Était-ce pour cela que son cheval était nerveux ? Même un homme mort le dérangeait. Il tourna la tête, adressa un clin d'œil à son cheval et posa la jambe droite sur le bonnet gris, puis le pied sur le dos de Svartr. Oui, c'était bien un cadavre. Un homme tout à fait mort. Il n'était encore jamais tombé sur un mort. Mais il n'y avait guère de différence entre un homme vivant et un mort, n'est-ce pas ? Il appuya le pied sur le dos de la personne qui gisait là. Le terrain n'était pas sûr et ferme. Il enfonça le pied un peu plus. C'était un homme mince. Le connaissait-il ? Il s'accroupit. De la main droite, il retourna Svartr. Cet homme n'était pas mort depuis longtemps. La couleur de son visage était presque normale. Un peu pâle, certes, mais l'homme n'était pas mort depuis plusieurs jours. Il ne semblait pas avoir reçu de flèche, ni de coup d'épée. Ses vêtements paraissaient intacts. Il n'était pas vieux. Il était tombé dans la fleur de l'âge. Son épée n'avait pas servi. Il ne le connaissait pas. Ou bien ? On oublie aisément que les gens peuvent également mourir d'une manière paisible, avec la vie qui s'enfuit d'un coup, sans explication, et le mystère reste à jamais celé dans ce corps mort. Bien des gens en Islande souhaitaient une mort aussi paisible. Son père lui-même l'avait déclaré maintes fois. L'homme qui se trouvait à ses pieds avait cessé de respirer au petit matin. Peut-être la veille au soir. Mais pas plus. Orækja se releva.

Le cheval d'Orækja se cabra, hennit et secoua la tête en arrière. Orækja se retourna, le héla et lui ordonna de se calmer. Svartr entrouvrit un œil. Orækja était à peine à deux mètres, la tête tournée vers son cheval. Svartr était certain que sa dernière heure était venue. D'un point indécis au-dessus des nuages, le destin intervint. Un faucon apparut. Le cheval se détacha. Orækja s'élança sur la lande, à grands pas. Il reviendrait scruter le visage du mort plus tard. Orækja essaya d'attraper les rênes. Le cheval bondissait en cercles autour de lui.

Svartr se releva brusquement et se mit à courir vers les buissons. De la main gauche, Orækja dégagea son arc, en un éclair sa dextre prit une flèche dans le carquois. Il colla la flèche sur la corde, tandis que sa main gauche tenait fermement l'arc. Il le banda et visa. Là-bas, un dos bondissait par-dessus la lande et les fourrés. Il visa le haut du dos, à gauche. Il cria, une fois. Svartr continua de courir. Orækja visa, et tira. La flèche manqua sa cible. Svartr courait encore entre les fourrés. Orækja pesta et prit une autre flèche. Il entendit des hennissements. Ce n'étaient pas ceux de son cheval. D'où venaient-ils ? Là, derrière des broussailles, quelqu'un avait dissimulé un cheval. Il s'enfuyait au galop, vers l'ouest. Et là, un autre cheval, avec un cavalier ! Il visa et toucha le cavalier à l'épaule droite. L'homme poussa un cri, s'affaissa sur sa monture mais n'en tomba point. Orækja prit une troisième flèche, visa l'autre cavalier. Il la décocha, elle passa à côté de sa cible.

Quand Orækja parvint finalement à calmer son cheval, les deux cavaliers avaient disparu. Étaient-ce des serfs qui avaient voulu le dépouiller ? Ils s'étaient enfuis dans la direction opposée de Reykholt. Ils ignoraient qui il était. Et lui, il ne connaissait certainement pas le deuxième cavalier. Il les suivit un moment, pour voir si le premier était tombé. Il monta au sommet de la colline la plus proche, ne vit rien et s'en retourna poser un nouveau piège.

Snorri distingua deux hommes qui passèrent la porte de Reykholt au grand galop. Un des cavaliers s'accrochait à l'encolure de sa monture. Dès que le cheval s'arrêta, l'homme tomba par terre. Il saignait de l'épaule. L'autre cavalier descendit de cheval avec difficulté. Il resta longtemps jambes tendues, le haut du corps penché en avant. Il tentait de retrouver son souffle. Gissur lui posa des questions. Snorri essaya de voir s'il reconnaissait les deux hommes, mais la distance était trop grande. Peut-être les avait-il salués, une fois ? Bien des gens voulaient lui serrer la main, mais il ne se rappelait pas les visages. L'homme finit par se redresser, répondit à Gissur en tendant un bras. Snorri crut entendre mentionner le nom d'Orækja. Les épaules de Gissur se relâchèrent, il avait l'air soulagé. Snorri se mit à quatre pattes, baissa la tête et colla l'oreille contre le bas de la porte. Entendrait-il mieux ainsi ? Il essaya d'approcher son oreille droite le plus près possible du petit interstice entre le seuil et la porte.

Il entendit plusieurs mots. C'était la voix de Gissur. On lui demanda pourquoi ils n'attaquaient pas maintenant. Gissur répondit qu'il ignorait combien de gardes étaient aux côtés de Snorri dans la maison principale. Un autre haussa le ton, Snorri crut que c'était la voix de Kyrre. Il se passa la main sur la poitrine. Il respira un peu mieux après s'être dit que l'aide ne tarderait sûrement pas à venir. Gissur affirma que Snorri avait très probablement quelqu'un prêt à le défendre jusqu'à la mort. Des protestations fusèrent. Oui, c'était bien Kyrre. Gissur ne lui faisait pas encore confiance. Snorri tendit l'oreille pour s'assurer qu'il n'entendait pas la voix d'Orækja parmi les autres. En fin de compte, il fut soulagé de ne pas l'entendre. Comment une telle idée avait-elle pu lui venir à l'esprit ? Orækja était certainement tout près, avec une armée bien plus forte que celle de Gissur.

Ce dont il aurait eu besoin, c'était une armée de faucons de chasse. Et des meilleurs, les faucons blancs du Groenland. Des faucons qui n'obéiraient qu'à ses ordres. Des faucons qui, à son signal, se seraient envolés dans les airs au-dessus de Reykholt. Deux cents faucons de chasse. Pas des moineaux peureux, pas des chouettes sages, pas des corneilles ni des corbeaux effrontés, et certainement pas des colombes pacifiques. Non, il aurait fallu des faucons, avec toute leur vitesse, leur force et leur regard perçant. Ils auraient été perchés sur le toit de la grande maison, sous une énorme couverture. La lueur des flambeaux se serait reflétée sur les visages et les yeux des hommes de Gissur, et sur leurs chevaux. À peine aurait-on écarté la couverture que les faucons les auraient aperçus. Il n'existait pas de meilleure arme qu'un faucon de chasse. Ils toucheraient leurs cibles avec précision, force et détermination. Les faucons se seraient d'abord envolés à tire-d'aile, très haut, ils auraient ensuite décrit des cercles au-dessus de Reykholt avant de s'abattre d'un coup. La moitié des rapaces auraient attaqué la croupe des chevaux, ils auraient frappé, frappé et frappé encore, jusqu'à atteindre le foie. Les faucons auraient crevé et arraché les yeux des hommes de Gissur. Snorri avait lu l'histoire de cet empereur byzantin qui avait ordonné à ses hommes d'aveugler l'armée bulgare vaincue, à l'exception d'un seul soldat, qui devait les guider jusqu'à Sofia. Il ferait pareil. Il crèverait les yeux de Gissur et de ses hommes, mais en épargnerait un, qui aurait pour tâche de les conduire loin de Reykholt. Tout aurait été terminé en quelques minutes. Qui possédait un faucon n'était jamais seul. Qui en possédait plusieurs était un homme riche. Snorri n'en avait aucun. Là, tel qu'il se trouvait, avec l'oreille collée contre le bas de la porte, il y avait à peine un insecte dans les parages.

Soudain, une voix perça, à l'arrière, dans l'obscurité. Il ne l'avait pas entendue depuis longtemps. Cette voix qui lui avait déconseillé de rentrer en Islande, deux ans plus tôt. Et là, cette voix lui disait que l'heure était enfin venue. Il n'avait toujours pas appris à se connaître ni à se comprendre, encore moins son propre fils et les gens autour de lui. Mais prétendre comprendre un peuple entier, écrire à son sujet, même si ce peuple vivait sur l'autre rive de l'océan, ça, il l'avait fait. Quelle arrogance. Sans se poser la moindre question, il avait immédiatement raconté les motivations et les gestes de leurs rois, et, ce, sur plusieurs siècles. Sans hésiter, il avait entrepris d'éclairer de sa sagesse et de sa science tous ceux qui vivaient sur le disque du monde. Il était temps qu'il sache qu'il n'était pas parvenu à les illuminer d'un seul mot.

Était-ce le roi Håkon qui parlait ainsi ? Non, la voix était plus vieille, bien plus vieille.

Elle lui demanda si, maintenant, peu avant de rendre son dernier souffle, il avait l'intelligence de comprendre qu'il aurait eu besoin de l'humilité des moutons. Ils ne sont ni vaniteux ni prétentieux ni avides.

Il était sur le point de se retourner pour répondre. La voix avait disparu.

Snorri se releva. Il respirait avec peine, et parvint à se tenir sur ses deux jambes.

Il attendit que l'obscurité totale se fasse. Visiblement, ils étaient tous convaincus qu'il se trouvait dans la salle des banquets. Au cours de l'après-midi, le ciel s'était couvert. Il ne ferait pas une nuit étoilée. Il prit la lampe près de la cheminée. C'était la nuit noire qui le sauverait. Ces chiens gloutons, là, dehors, il leur réservait une surprise ! Il passa la main sur sa barbe. Oui, une sacrée surprise. Quand ils forceraient la porte et se précipiteraient dans la maison, il aurait disparu sans laisser de trace. Un sourire narquois pointa sur ses lèvres. Dehors, il faisait un noir de goudron.

Snorri avait raison, il était impossible de voir la moindre étoile. Un grand tapis recouvrait le plancher de la pièce. Il avait été tissé par Hallveig et une des servantes. Il le sentait sous ses pieds. Snorri se rappela ses couleurs, rouge et gris. Il l'avait toujours aimé, avec ses deux gros S qui se terminaient par une tête de dragon. Il l'écarta puis, à tâtons, chercha la poignée de la trappe qu'il dissimulait. Il ouvrit la trappe et posa un pied hésitant sur la première marche. L'escalier descendait jusqu'au tunnel secret, sous les maisons de Reykholt, qui débouchait sur le bassin. Snorri chercha ses appuis, toujours à tâtons. Ses pieds enflés lui faisaient mal. Un instant, il resta sur la marche la plus haute, et songea à remonter pour prendre son épée. Mais était-ce une bonne idée de se mettre à la chercher ainsi, dans l'obscurité ? Et puis, s'il devait se battre, quelle résistance pourrait-il offrir ? Il décida de ne pas prendre son épée. Les assaillants ne le trouveraient pas ! Au fil des ans, il avait fait creuser un ensemble de galeries sous Reykholt, sans que les gens qui travaillaient au domaine ne soient au courant. Un seul tunnel était connu, celui qui menait de la maison principale au bassin. Ni Kyrre ni Torkild ne soupçonnaient l'existence des autres passages secrets. Le prêtre avait-il révélé quelque chose ? Snorri ne le croyait pas. Il avait employé des Norvégiens pour exécuter le travail et, dès que les tunnels avaient été creusés, ils avaient été renvoyés chez eux.

Il n'en avait même pas parlé à Margrete. Il referma la trappe derrière lui. Il descendit deux marches et tira sur deux cordelettes attachées au tapis, qui, grâce à un système ingénieux, se remit en place. Une fois en bas de l'escalier, il s'engagea dans le long souterrain. Il put avancer jusqu'au bout presque sans avoir à se baisser. Vers la fin, le tunnel remontait en pente douce, et Snorri parvint à un escalier en pierre. Il attendit un moment, l'oreille tendue, et tira sur une corde. La porte s'ouvrit. Il vit un petit tas de bois. Il écarta les bûches avec précaution, se faufila par la porte, la referma et remit en place le tas de bois devant la porte. De là, il monta le plus silencieusement possible à l'étage, et cogna contre un mur. Le mur se révéla être une porte qui donnait sur une chambre qu'il surnommait « la cage à sommeil ». Il s'allongea. Écouta. Quand les secours allaient-ils arriver ? Il s'endormit, totalement épuisé.

Quatre heures avant que le jour ne pointe, les hommes de Gissur pénétrèrent dans la maison principale. La fureur les prit lorsqu'ils comprirent que Snorri n'était pas là. Ils balayèrent ce qui était posé sur les tables. Ils jetèrent les livres, renversèrent la grande table, lancèrent les chandeliers dans la cheminée et déchirèrent les vêtements qui leur tombèrent sous la main. Cela ne changea rien. Snorri avait disparu. Ils crièrent, tapèrent des pieds, ils coururent en tous sens en hurlant qu'ils savaient où était Snorri. Avec leurs flambeaux et leurs torches, ils cherchèrent où se terraient les gardes de Snorri.

Gissur ne manifesta pas son inquiétude. Pourtant, il sentait monter en lui l'incertitude. Avait-il mal évalué la situation ? Snorri était-il vraiment parvenu à s'échapper, avec ses gardes ? Qui lui avait affirmé qu'il se trouvait dans sa maison, dans l'après-midi, et qu'il l'y avait vu ? Il demanda à Kolbeinn de retrouver immédiatement le jeune homme. On lui amena Kyrre. Gissur le dévisagea, l'inspecta. Il ne le connaissait pas. Il semblait avoir environ vingt-cinq ans. Assez âgé pour être un traître chevronné. Gissur s'efforça de parler calmement. Les cheveux du jeune homme qui lui faisait face étaient collants de sueur. Kyrre ne dit rien. Il écoutait, tentait de comprendre chaque mot. Au regard de Gissur, il sut qu'il y allait de sa vie. Son cœur battait si fort que certaines paroles lui échappèrent. À chaque question, il acquiesçait, ou répondait d'un oui. Mais oui n'était pas toujours la bonne réponse. Kyrre vit que les traits de Gissur Thorvaldsson commençaient à s'empourprer. De plus en plus. Et les couleurs qui lui montaient au visage faisaient ressortir le blanc de ses yeux.

Qui donc avait affirmé que ce jeune homme savait où se trouvait Snorri à n'importe quel moment de la journée ? On appela Torkild. Au moins, Gissur connaissait cet homme de grande taille. Il avait proposé au forgeron habile de venir travailler à la forge de son domaine. La couleur du visage de Gissur se rapprocha de celle qu'il avait habituellement. Torkild expliqua qu'il n'avait jamais eu à se plaindre de Kyrre. Certes, il était jeune, mais on pouvait lui faire confiance.

Les paroles bienveillantes de Torkild renforcèrent la méfiance de Gissur. Pourquoi Kyrre ignorait-il où se trouvait Snorri, puisqu'il travaillait au domaine ? Gissur dit à Torkild de décamper en vitesse, puis il fit un signe à l'un des hommes qui se tenaient près de lui. Il murmura à l'oreille de l'homme aux cheveux blancs. Ce dernier disparut dans la bâtisse où l'on conservait la majeure partie de la nourriture à Reykholt. Gissur resta face à Kyrre. Sans le regarder. Il braquait son regard à côté, jetant parfois un coup d'œil dans la direction de l'homme aux cheveux blancs. Kyrre avait la gorge sèche. Il essayait de ne pas cligner des yeux, de peur de ce qui se passerait peut-être pendant cet instant où il ne regarderait pas devant lui. L'homme aux cheveux blancs revint. Kyrre s'évanouit, tombant comme un sac vide. Torkild voulut s'approcher de lui. Deux costauds le repoussèrent. L'homme aux cheveux blancs tenait une épée dont la pointe était chauffée au rouge.

Svartr et Arni relevèrent Kyrre, et Svartr le maintint par la simple force de son bras droit. Son épaule avait été soignée avec des onguents et bandée. Svartr demanda s'il ne valait pas mieux enlever les vêtements de Kyrre. Gissur ne répondit pas. Svartr voulut savoir si, au moins, ils ne devaient pas lui retrousser les manches. Gissur secoua la tête. Pas de danger, l'épée traversera le tissu. Il éclata de rire. Svartr interrogea du regard son frère.

Torkild cria que même si Kyrre n'avait pas tout bien surveillé, il était le seul à connaître le moindre recoin de Reykholt. N'était-ce pas dans leur intérêt de fouiller les maisons, une par une ?

« Et toi ? » demanda Gissur. Torkild écarta les bras et dit qu'il connaissait seulement la forge et la maison où il habitait, avec sa femme. Il n'avait jamais fréquenté Snorri et ses proches. Ces derniers mois, Kyrre l'avait vu bien plus souvent. De plus, c'était lui qui s'était occupé de Sleipnir. Kyrre avait donc eu de bonnes raisons d'entrer à l'improviste dans la maison du maître et dans d'autres de Reykholt, ne fût-ce que pour parler des chevaux et des tâches quotidiennes.

Kyrre tomba à genoux. Il ferma les yeux pour ne pas voir l'épée rougeoyante. La peur étouffait les supplications qu'il aurait tant aimé prononcer pour que les souffrances lui soient épargnées.

Un messager arriva. Le cheval s'arrêta devant Gissur. L'envoyé annonça qu'Orækja s'était rendu à Borg, et qu'il y passait la nuit. Cette nouvelle apaisa Gissur. Mais dès qu'il entendit Torkild proposer qu'ils se mettent à fouiller les maisons, il s'emporta. Il arracha l'épée des mains de l'homme aux cheveux blancs et l'appuya sur l'épaule droite de Kyrre. L'épée traversa le vêtement et la peau.

L'odeur de laine et de chair brûlées se mêla aux cris de Kyrre. Gissur retira l'épée de l'épaule du jeune homme et se tourna vers Torkild.

« Et à ton avis, qui décide ici ?

– En homme intelligent que tu es, Gissur, tu préfères que tes sujets donnent leur avis, n'est-ce pas ? Quand c'est pour ton bien », ajouta Torkild.

Gissur ne répondit pas.

Torkild crut comprendre que Gissur était d'accord, et se dirigea vers Kyrre pour s'occuper de lui. Il fit à peine quelques pas avant de se mettre à crier comme un possédé. Gissur avait pris le poignard qu'il portait à la ceinture et l'avait lancé dans le pied droit de Torkild. Le sang coulait de sa chaussure. Gissur demanda si c'était lui ou Torkild qui décidait quand ils devaient bouger. Torkild tomba par terre en se tenant le pied à deux mains. Le sang coulait sur sa cheville et collait aux brins d'herbe.

« Tu m'as estropié ! cria Torkild.

– Rends-moi mon poignard », répliqua Gissur.

Torkild fit non de la tête. Il était livide. Svartr s'accroupit, retira le poignard et le tendit à Gissur. Ce dernier se planta au-dessus de Torkild, qui se lamentait. Il le toisa, hocha la tête et s'éloigna avec l'homme aux cheveux blancs. Il voulait entendre ce que le vieil homme avait à lui dire. Gissur fit signe à Kyrre d'approcher. Le vieil homme héla les deux autres qui avaient soigné la blessure de Svartr. On demanda à Kyrre de se déshabiller. Kyrre avait trop mal pour ôter sa tunique. Arni l'aida à passer le vêtement bleu par-dessus sa tête. Cela fut plus facile que de le dégager de la blessure. Ils tirèrent dessus. Kyrre cria. Au lieu de chercher à enlever la laine incrustée dans la blessure, le vieil homme mit un onguent là où la plaie était visible. Il avait également une cruche avec du jus d'aloe vera, qu'il déposa doucement à l'endroit où la brûlure avait ouvert la peau. On posa un pansement en lin sur la plaie et sur les restes de tunique. Gissur savait qu'il avait besoin de Kyrre pour rattraper Snorri.

Snorri avait été réveillé par les hurlements de Kyrre. Il lui fallut quelques secondes dans le noir pour se rappeler où il était. Il s'assit dans le lit. Il n'était qu'un fuyard apeuré à Reykholt ! Il sortit prudemment du lit. Par le trou dans le mur, il aperçut quelques hommes. Ils tendaient le bras. Quelqu'un pointait-il le doigt dans sa direction ? Quelqu'un était donc au courant de la porte derrière le tas de bois ? Il s'était couché tout habillé. Il lui fallait regagner le souterrain. Il ne pouvait plus rester là. Il laça ses bottes. Mais qu'il avait du mal à respirer ! De la main gauche, il s'agrippa au chevet et se mit debout. Il jeta un coup d'œil dehors. Il y avait toujours un homme qui pointait le doigt vers lui.

Il lui fallait filer en vitesse. Il repartit par le même chemin. De l'escalier, il vit que l'on avait allumé des flambeaux. Snorri ne voulait pas allumer sa chandelle avant d'avoir rejoint le tunnel. Il tâtonna dans le noir avant de retrouver le mur secret, et il descendit les marches. Il avait le choix entre trois galeries et trois maisons. Dès qu'il eut allumé la mèche, il décida de passer sous la colline jusqu'à la maison Ouest. On s'en servait rarement.

Se rappelait-il les astuces nécessaires pour entrer ? Il avait lui-même fabriqué la cloison qui cachait son secret. Torkild avait forgé une des serrures, selon les instructions de Snorri, sans savoir où elle serait installée. À cette pensée, un sourire de triomphe illumina le visage de Snorri. Puis son regard se concentra à nouveau, il rassembla ses dernières forces pour parvenir à sa nouvelle cachette. Il grimpa l'escalier en colimaçon. Il se retrouva face à la porte qui s'ouvrait seulement si l'on poussait en haut à gauche.

Snorri se souvenait d'où appuyer. Il posa sa lampe, tâtonna un moment et poussa plusieurs fois. Sans résultat. Il poussa plus fort, il écouta. Pas de réaction. Il passa la paume de sa main gauche sur le coin supérieur gauche et frappa. La porte s'ouvrit. La pièce était plongée dans l'obscurité. Il resta figé sur le seuil. Il ne se rappelait plus si de l'extérieur on voyait la lumière. Il fit quelques pas hésitants à l'intérieur, regarda autour de lui. Heureusement, les assaillants avaient tant d'endroits à surveiller. Snorri était sûr que du dehors on ne distinguait pas la lampe. La mèche brûlait doucement et léchait l'air de la pièce. Le halo lumineux en révélait presque la totalité.

Il y avait quelqu'un ! Snorri se retourna. Dans un coin, un homme était assis sur le plancher. Il se couvrait la tête de ses mains. Devant lui, un bout de pain et une bouteille verte, renversée. L'homme était recroquevillé comme s'il attendait le coup de grâce. De prime abord, Snorri ne le reconnut pas. L'homme releva à peine la tête. Il ne portait pas d'arme.

« C'est toi ? » demanda Snorri à voix basse.

Le prêtre baissa les mains.

« C'est donc là que tu t'es caché ces derniers jours ?

– Chut... Il faut chuchoter, murmura Arnbjørn.

– Je me réjouissais d'entendre ton sermon sur le martyre de saint Maurice. Et je me réjouissais plus particulièrement de t'entendre une nouvelle fois mettre l'accent sur la force de sa foi lorsque les lions l'ont déchiqueté dans l'arène. »

Snorri soupira. Ses yeux brillaient.

« Et je me réjouissais de l'entendre cette année encore, même si je l'ai déjà entendu, Arnbjørn. »

Même à la lueur de la chandelle, on voyait aisément que le prêtre était livide. Arnbjørn ne parvenait pas à soutenir le regard de Snorri. Entre eux, il y avait en suspens une question qui n'avait pas encore été posée. Dès l'instant qu'elle aurait quitté les lèvres de Snorri, la relation qui les liait serait rompue à jamais. S'il l'avait voulu, Arnbjørn aurait pu donner une explication dont Snorri se serait contenté. En cet instant précis, il aurait avalé presque n'importe quelle histoire.

« Tu savais que Gissur et ses hommes allaient venir ? » demanda Snorri.

Un craquement résonna. On enfonçait une porte en dessous. Ils entendirent que l'on renversait une table et des chaises. Soudain, Snorri se sentit parfaitement calme, comme si toute vie le quittait. Que devait-il faire ?

« Cache-toi dans le passage secret que tu viens d'emprunter », dit Arnbjørn.

Tiens, il pouvait donc encore parler ! Snorri faillit lui demander s'il avait révélé l'existence des tunnels à quelqu'un. Le vacarme en dessous le fit se hâter. Il descendit l'escalier secret et s'engagea dans le long souterrain.

Peu après, Gissur et ses hommes trouvèrent Arnbjørn. Gissur se planta devant le prêtre et lui demanda où se trouvait Snorri. Arnbjørn était toujours livide. Gissur répéta sa question d'une voix douce : savait-il où était Snorri ? Timidement, Arnbjørn fit non de la tête. La croix était accrochée à une chaîne autour de son cou. La croix était en argent, sertie de cristal de roche. Arnbjørn passa doucement la main sur la croix. Gissur lui demanda pourquoi il s'était caché. Il répondit qu'il essayait toujours de se tenir à l'écart des combats. Tout ce qu'il voulait, c'était le calme et la tranquillité, et une église où prêcher. Rien de plus. Dès qu'il avait compris que l'on tirerait l'épée à Reykholt, il avait agi comme il l'avait toujours fait : se tenir à l'écart, ou se cacher. Il était comme ça. Il le regrettait, ça, et bien d'autres choses. Gissur haussa les épaules et regarda les hommes autour de lui. Il demanda si quelqu'un était en mesure de confirmer que c'était bien là le prêtre de Reykholt. Personne ne le pouvait. Un des hommes leva son épée. Gissur l'arrêta d'un geste de la main et lui demanda d'aller chercher Kyrre. Gissur répéta sa question, toujours d'un ton calme. Savait-il où était Snorri ? Pour la deuxième fois, Arnbjørn hocha la tête. Gissur lui demanda s'il pouvait lui donner une réponse claire.

« Non, dit le prêtre.

– Je ne te crois pas ! » hurla Gissur.

Il se pencha, mit son flambeau sous le nez du prêtre et hurla à nouveau. Kyrre apparut sur le seuil. Gissur désigna Arnbjørn en dévisageant Kyrre. Pas de doute possible. Kyrre acquiesça.

D'autres cavaliers arrivèrent à Reykholt. Dans l'orbe noire, la lune était rongée jusqu'à l'os. On cria à Gissur que Klængr Bjørnsson était enfin arrivé de Kjalarnes, avec des renforts. Gissur demanda une fois encore à Arnbjørn s'il ne voulait pas dire où se trouvait Snorri. Il demanda alors à l'homme aux cheveux blancs de faire réchauffer son épée. Le prêtre recouvra l'usage de la parole. Si on le laissait partir et s'il trouvait une autre paroisse où prêcher, il lui reviendrait peut-être en mémoire où était Snorri.

Gissur consulta du regard ses hommes. Ils ne dirent rien. Gissur déclara d'une voix forte qu'Arnbjørn ferait comme il l'entendait, s'il disait où était Snorri. Mais sa réponse ne devait pas tarder. Arnbjørn répondit que Snorri était derrière la porte secrète. Il la désigna du doigt. S'ils descendaient l'escalier, ils aboutiraient dans un souterrain, et, de là, ils le trouveraient sans tarder. Il ajouta que, au début du tunnel, la pente était très raide, si on ne faisait pas attention. Peu après, cela s'arrangeait. Gissur l'interrogea sur la largeur du tunnel, sur sa hauteur, où il menait. Il demanda également si Snorri était seul. Le prêtre répondit à toutes les questions posées.

Gissur envoya cinq hommes dans le passage secret. Markus Mardarson, Simon Knute « le Fâcheux », Torsteinn Gudinason, Torainn Asgrimsson et Arni Beiskr « le Rugueux », à qui Gissur confia la tête de cette petite troupe. Arni voulut que son frère Svartr l'accompagne. Gissur refusa. Svartr n'était pas assez fort après sa blessure à l'épaule. Portant chacun un flambeau, ils descendirent en hâte, et se lancèrent dans le tunnel. Torsteinn glissa là où la pente était abrupte, mais il se remit rapidement sur ses pieds et rattrapa les autres. Ils ne tardèrent pas à trouver Snorri.

Leur première réaction fut l'affolement. Snorri les regarda avec placidité. Il était sans arme. Mais n'était-ce pas un piège, malgré tout ? Il y avait sûrement quelqu'un derrière lui. Ils se figèrent. Se dévisagèrent. Au bout d'un moment, Arni alla jusqu'à Snorri, puis regarda autour de lui.

« Alors comme ça, c'est vous qui devez en finir ? » demanda Snorri.

Il parlait d'un ton résigné mais calme, comme s'il avait

obtenu une réponse à ce qui le tracassait depuis des jours. Snorri ne leva même pas la main pour se protéger. Personne ne surgit pour le défendre. Aucun garde, aucun soldat et aucun ange ne firent leur apparition. Arni leva l'épée. Les autres le poussaient à frapper, ou injuriaient Snorri.

Les hommes manifestent toujours un grand talent, et beaucoup d'imagination, lorsqu'ils décrivent leur ennemi. Quelle force ne montrent-ils pas lorsqu'il s'agit de tourner le dos à la lumière, ou lorsque l'esprit laisse libre cours à ses plus noires pensées.

Snorri songea que Dieu aurait dû lui montrer qu'Il existait en le frappant d'un éclair, au lieu de le laisser être achevé par ces pauvres diables. Mais Dieu était occupé ailleurs. La mort fit monter l'angoisse jusque dans ses yeux et jusque dans sa gorge, une potion amère qu'il se voyait forcé d'avaler. Il ne pouvait se faire à l'idée qu'ils allaient le tuer. Il n'était qu'un homme. N'est-ce pas ? Ses yeux prirent un éclat terne. Il regarda fixement le sol sous ses pieds. Cela faisait plus de soixante ans qu'il avait vécu sur cette terre.

« Vas-y, coupe-lui la tête ! cria Simon.

– Ne me décapitez pas », dit Snorri.

Arni lui porta la blessure mortelle. Le coup était visible, partant de l'oreille gauche jusqu'à la gorge. Snorri dévisagea Arni, avant de se plier en deux et de retomber assis, avec un regard incrédule. Et rempli d'étonnement. Ainsi, la mort, c'était ça. Elle envahit son estomac, et se fit une place toujours plus grande dans ses entrailles. Il essaya de lever le bras droit, sans y parvenir. Il se pencha en avant, et ne fit plus rien. La tristesse gagna son regard, comme s'il se sentait mal. Torsteinn frappa en deuxième. Snorri n'esquissa pas un geste pour éviter les coups suivants, si ce n'est qu'un sourire étrange lui vint aux lèvres. On aurait dit qu'il se moquait d'eux en découvrant ainsi ses dents, noires de sang. Il voulut dire quelques mots, mais seuls du sang et des gargouillis sortirent de sa bouche. Il se vit à cheval, par une chaude journée d'été, en compagnie de Margrete. Il n'y avait pas de vent. Ils allaient à Bessastadir. Il caressait Sleipnir.

« Tu ne pourras jamais monter que sur ton petit cheval, n'est-ce pas ? » dit Margrete.

Deux ou trois soubresauts secouèrent Snorri, puis il ne bougea plus et ferma les yeux.

Ils le frappèrent à tour de rôle, tous les cinq. Cinq coups d'épée profonds. Sa tête penchait d'un côté. Il était assis sur le sol froid, la tête en biais, adossé contre le mur. Ils le laissèrent et remontèrent trouver Gissur. Ils ne coururent pas. Gissur leur demanda quelles avaient été les dernières paroles de Snorri. Ils les lui répétèrent. Il haussa les épaules, sans dire un mot.

Torkild était juste derrière Gissur. À peine eut-il entendu les paroles d'Arni qu'il se dépêcha de trouver Snorri. Il eut un sourire de soulagement en voyant les yeux clos du scalde.

En tant que membre de la famille des Haukdælir, Gissur s'attendait à pouvoir gouverner le pays en paix après avoir exécuté le plus fameux des Sturlungar. Il n'en fut rien. Avec l'appui du roi Håkon et du cardinal Guillaume de la Sabine, Thordur Sighvatsson Kakali « le Bredouilleur » fut nommé chef de l'Islande. On soutenait qu'il parviendrait enfin à amener le pays sous la couronne norvégienne. Cela n'arriva point. Le roi Håkon nomma Gissur jarl en 1258. Gissur promit de soumettre l'Islande au roi de Norvège, avec obligation de verser des impôts au souverain, impôts qui seraient payés par les paysans islandais. Même si le monarque norvégien promettait d'empêcher les luttes fratricides entre familles, de garantir le droit islandais et d'envoyer des bateaux chargés de biens et d'hommes en cas de besoin, il n'en restait pas moins que l'impôt versé à la Norvège constituait la seule disposition concrète de cet accord. Gissur crut qu'il pourrait mener une Islande alliée à la Norvège, avec lui à la tête du pays. Quel idiot. Le roi Håkon lui donna un titre et une épée pour parader, et rien d'autre. Gissur Thorvaldsson se fit moine pour trouver la paix de l'âme. Il ne trouva rien. Dès 1262, l'Althing reconnaissait Håkon comme premier roi d'Islande.

Les premiers jours, Orækja avait pleuré, il s'était lamenté, il était resté prostré, il avait pleuré. Son épouse tenta de le consoler en lui disant que son père ne s'était jamais soucié de lui. Snorri avait eu besoin de lui, il s'était servi de lui pour exécuter les meurtres qu'il n'osait pas commettre de sa main. Elle essaya de le dissuader d'aller à Reykholt.

« Ils t'attendent », dit Arnbjørg.

Elle avait raison, et il le savait.

« Je veux voir père une dernière fois. Je veux le serrer dans mes bras avant qu'il ne soit trop tard », répondit-il en criant.

Elle parvint à le tenir à l'écart de Reykholt jusqu'à Noël. Alors, Orækja partit avec une trentaine d'hommes. Il mit le feu à Reykholt et tua Klængr, qui avait pris possession du domaine. Il démolit ce qu'il ne parvint pas à brûler, mais fut maîtrisé et fait prisonnier. Orækja fut totalement déshérité et exilé en Norvège pour la seconde fois. Il mourut quatre ans plus tard, près de Bjørgvin, d'une mort paisible. Son cœur s'arrêta de battre, non loin de l'endroit où Lille-Jon avait été mortellement blessé.

Margrete était rentrée à la ferme depuis deux jours. Elle était hors d'elle, se cachait le visage entre les mains, et disait qu'ils ne devaient pas tuer Snorri. Chaque fois que son mari tentait de lui dire qu'il n'y avait personne ici, et personne qui voulait tuer Snorri, elle le repoussait. Elle criait qu'elle les avait vus arriver. Cela avait duré toute la journée. Elle avait pleuré et gémi comme si on lui avait donné des coups de couteau. Elle avait perdu la tête. Egil sortit de la maison. Il l'entendit crier le nom de Snorri, encore et encore. Furieux, il s'éloigna du corps de ferme et en profita pour attacher quelques chevaux. À son retour, tout était silencieux. Bien vite, il fut assez inquiet pour se précipiter à l'intérieur.

Elle n'était plus là ! Ni les enfants. Il l'appela, sans réponse. Fou d'inquiétude, il les chercha partout dans la ferme. On aurait dit qu'il regimbait à l'idée de regarder par-dessus le bord de la falaise, à un kilomètre à l'ouest de la ferme. Il se mit en marche, ses pas s'accélérèrent, puis il courut. Essoufflé, il regarda en bas de la falaise. Ses larmes se mirent à couler, il sanglota. Ils n'étaient pas là.

Derrière un rocher, juste derrière lui, elle était là, avec leurs enfants. Elle avait posé la main sur la bouche de la petite fille. Margrete observait Egil. Pour finir, elle ne sut plus comment se retenir et s'approcha de lui. Elle l'étreignit. Il serra dans ses bras Margrete et ses enfants.

« Le courage nous fera toujours défaut », dit-elle.

Que voulait-elle dire ? faillit-il lui demander. Egil Halsteinson courut jusqu'à la ferme. Elle cria après lui. Il ne voulait pas l'entendre. Il prit son cheval et fonça à Reykholt.

Avant que le jour ne prenne des couleurs, Reykholt fut enveloppé dans le brouillard. Les collines étaient chargées de rosée. Les nuages avaient dormi au-dessus du domaine pendant la nuit. L'étoile Polaire était effacée. On cherchait la chaleur des hommes et des bêtes. Le soleil allait bientôt se lever, le brouillard aussi, pour ne laisser que quelques rubans blancs sur les toits. Une brume grisâtre, à peine visible, montait du sol. Peu à peu, elle monta jusqu'à la flèche de l'église et gagna enfin le ciel et les prémices de la pluie. La fumée sombre de deux des cheminées apparut ensuite, et forma des tourbillons de cendres. Nul au domaine ne savait d'où venaient les dernières hirondelles de l'automne. Tout ce que l'on voyait, c'était qu'elles tournoyaient au-dessus du bassin circulaire. La petite tache verte que l'on distinguait n'était pas d'un vert éclatant, celui de l'été, mais d'un vert où l'on devine au-dessous la noirceur de la boue et du fumier. À certains endroits, dans ce paysage doré, de la vapeur sortait du sol. L'odeur rappelait celle du soufre. Le vent forcit. Une porte se mit à battre. Le vent apportait avec lui des bribes de paroles. Il était difficile de dire si elles venaient du temps jadis, ou si elles appartenaient à des phrases qui seraient prononcées plus tard.

« La furie à laquelle nous avons assisté en Islande ces dernières années ne peut avoir d'équivalent. Ni ici ni ailleurs. Mais maintenant, les hommes auront peut-être compris et appris », dit la vieille femme qui se trouvait aux pieds de Snorri, ce jour d'automne 1241.

Alors qu'elle contemplait le corps mutilé de Snorri, une voix résonna. Une voix qu'elle n'avait jamais entendue :

« Les hommes ont dit ce qu'ils avaient à dire. Maintenant, ils devraient se reposer. Cela n'arrivera pas. Même s'ils sont au bout de leurs forces, ils se comportent comme s'ils étaient à l'aube d'une ère de grandeur. Quels que soient leurs gestes, qui que soient leurs ennemis, ils n'apprendront jamais. Les hommes pensent toujours que leur époque est la pire, et que les temps ne peuvent empirer. Ils vivent à l'heure de l'innocence. Les hommes meurent, comme le feu s'éteint, sans laisser de trace. Les légendes et la Toison d'or gisent dans les cendres. Ils n'ont d'autre histoire que celle du feu.

– Mais n'y a-t-il donc aucun espoir ? » se lamenta la vieille femme.

Elle soupira, avant d'ajouter, comme elle le faisait chaque fois qu'elle voyait un visage mort : « Et qu'y avait-il de bon à ce qu'il naisse, *lui* ? »

Un cavalier solitaire et épuisé apparut à l'aube. Il se tenait en selle à grand-peine. Après avoir franchi la porte, les rênes lui échappèrent. Son cheval avança au pas jusqu'au terrain où Gissur et tous ses hommes étaient rassemblés, prêts à partir après quelques heures de sommeil. Les yeux du cavalier étaient dans le vague, il n'essayait même pas de rattraper les rênes de son cheval. Ses mains cherchèrent sa selle, à tâtons. Sa main droite finit par s'y agripper. Il menaçait de tomber à tout instant. Les hommes ne voyaient pas s'il était blessé. Il portait une épée, un arc et des flèches. Personne ne le connaissait. Était-il malade ? Le cheval s'arrêta devant Gissur. Le buste du cavalier ne tenait pas en place, il oscillait, d'un côté sur l'autre, sa tête dodelinait.

Gissur se demanda si l'homme était en état de le voir. Deux hommes l'aidèrent à descendre de cheval. Gissur et l'homme se dévisagèrent. L'inconnu ne posa aucune question sur la présence de tous ces hommes à Reykholt. Visiblement, il avait chevauché toute la nuit. Son visage était bouffi par les larmes. Puis il demanda où était Snorri Sturluson. Gissur le pria d'expliquer les raisons qui l'amenaient ici. Il marquait un silence entre chaque mot.

« Et que veux-tu à Snorri ? s'enquit Gissur.

– Je suis venu pour le tuer », dit Egil.

Kyrre s'avança et murmura quelques mots à l'oreille d'Egil. Egil demanda à boire.

Je tiens à remercier Sturla Thordarson,
la famille de Margrete, Geir Waage à Reykholt,
Knut Storskald, Leonardo Amoroso et sœur Helena.

Table

Photocomposition CMB *Graphic*
44800 Saint-Herblain

Imprimé par Firmin-Didot

Pour le compte des éditions Calmann-Lévy
31, rue de Fleurus, Paris 6e
en septembre 2005

Imprimé en France

Dépôt légal : septembre 2005
N° d'édition : 13989/01
N° d'impression : 75220